Moderne bloemsierkunst

MODERNE
BLOEMSIERKUNST

*een ideeënrijk en
creatief leer-
kijk- en doeboek*

**Auteur Aad van Uffelen
Fotografie Jan van der Loos
Moot Gerretsen**

2e DRUK

TERRA

CIP-GEGEVENS
Uffelen, A. van

Moderne bloemsierkunst / A. van Uffelen. - Zutphen :
Terra. - Ill.. foto's. tek.
ISBN 90-6255-467-9 geb.
NUGI 411
Trefw.: bloemenschikken.

ISBN 90 6255 467 9
© MCMXCI Uitgeverij Terra, Zutphen.

Inhoud

Inleiding

Op de vraag 'Wat is moderne bloemsierkunst?' is niet zo maar even een antwoord te geven. Het vormgeven met plantaardige materialen: bloemen, blad, vruchten, groenten en allerlei bijmaterialen en accessoires, heeft een lange traditie. Door de jaren (eeuwen) heen is er steeds gewerkt met de materialen die voorhanden waren en met schikwijzen die bij de tijdgeest of stijlperiode aansluiting vonden.

Guirlandes, lauwerkransen, barokke schikkingen, schikkingen gebaseerd op de befaamde bloemenstillevens, en de biedermeier, zijn enkele voorbeelden van traditioneel Westers bloemwerk. De tijd waarin wij leven is een totaal van factoren; om er enkele te noemen: economische, kunstzinnige, sociale en intellectuele. De tijd lijkt steeds sneller te gaan; het geleerde is voor wij het weten vaak al weer achterhaald. Dit noodzaakt ons regelmatig bij te leren. Door de razendsnelle communicatie is uitwisseling van kennis geen probleem meer. Dit betekent ook dat culturen elkaar meer en meer gaan beïnvloeden en sneller kennis nemen van elkaars gewoonten en kunstuitingen. Schilderkunst, architectuur, mode, beeldhouwkunst, interieurdesign en het industriële ontwerp hebben onmiskenbaar invloed op de bloemsierkunst. Sinds het begin van de 20e eeuw heeft ook de Japanse bloemsierkunst de Westerse bloemsierkunst nadrukkelijk beïnvloed. Ikebana is een internationaal begrip geworden. Evenzeer is na de tweede wereldoorlog 'European and Dutch flowerdesign' wereldwijd bekend geworden.

Dit boek over eigentijdse bloemsierkunst geeft een beeld van een aantal ontwikkelingen op dit terrein en signaleert tevens een aantal toekomstige richtingen. Een essentieel gegeven bij 'modern schikken' is vrijheid, creatieve expressie en de durf om te experimenteren. Concreet betekent dit dat er globaal vier voorwaarden zijn om zichzelf 'bloemsierkunstig' te ontwikkelen: motivatie, talent, gevoel (emotie) en creativiteit.

Gelukkig zijn er steeds meer bloemsierkunstenaars die zich durven uit te leven in het moderne en die het extravagante, het andere, tot hun uitdaging hebben gemaakt.

Bloemsierkunst 'zo bedreven' schenkt de maker een ongekend genoegen. Elk mens is in meer of mindere mate creatief en kan met enige technische basiskennis van het bloemschikken, zelf moderne schikkingen maken, ook u.

Voor uw gemak tijdens het lezen van dit boek is gekozen voor de hijvorm. Bedoeld wordt steeds hij/zij. Dit telkens in de tekst vermelden is geen erg elegante oplossing.

Ik wens een ieder die dit boek ter hand neemt veel genoegen bij het lezen ervan en hoop dat het zal aanzetten zelf moderne creatieve schikkingen te gaan maken.

Naaldwijk

Aad van Uffelen

Modern schikken, beeld van onze tijd

Wat is dat eigenlijk 'modern' schikken?
Modern is een vrij ruim begrip. Het betekent in elk geval dat het kenmerkend is voor onze tijd. Modern onderscheidt zich van klassiek of antiek door het nieuwerwetse karakter. In het algemeen mogen wij stellen dat het modernisme de geest van het nieuwe in onze maatschappij, de letteren en de kunst omvat. Moderne bloemsierkunst omvat in feite alle schikwijzen die tot onze tijd behoren, dus 'eigentijds' zijn.

Het is niet zo dat het eigentijdse beeld in alle opzichten ook gemakkelijk is te vertalen naar 'modern' bloemwerk. Opvallend is wel dat er een groot scala is aan allerlei hedendaagse schikwijzen, trends en probeersels. De vele korte trends en rages volgen elkaar zo snel op dat het nauwelijks meer is bij te houden.

Als wij het 'meest gemaakte' bloemwerk van vandaag als uitgangspunt zouden nemen dan zien wij vooral de ronde schikkingen, zoals de biedermeier en de millefleur. Daarnaast zien wij dat de traditionele eenzijdige driehoekige schikwijze nog steeds tot de basisproduktie van veel bloemisten behoort. Het is zeker niet te veel gezegd dat in het algemeen vrij traditioneel bloemwerk nog steeds populair is.

Het modernisme is nog niet overal doorgedrongen, maar de belangstelling voor het moderne bloemschikken neemt snel toe.

De vraag naar traditioneel bloemwerk is nog vrij groot. Daarnaast is het evenzeer een feit dat indien een bloemist geen modern bloemwerk presenteert, de consument vaak geen idee heeft van het bestaan van creatievere schikvormen en stijlen.

Feitelijk is het vreemd dat veel bloemwerk een vrij traditioneel karakter heeft als wij in contrast hiermee de ontwikkelingen in de beeldende kunst, het interieur, de mode en dergelijke in ogenschouw nemen. Kijk vooral ook eens naar de ontwikkelingen in het interieur en de architectuur.

Ook in het ontwerpen van ambachtelijke produkten van glas, keramiek, kunststof en dergelijke zien wij veel interessante eigentijdse creaties.

Het modernisme is dus alom aanwezig, zij het niet overal even nadrukkelijk. In de bloemsierkunst zou de ontwikkeling veel meer gericht kunnen zijn op vooruitgang en ontwikkeling van design. Toch is het beeld van onze tijd doorvlochten van allerlei interessante bloemsierkunstige ontwikkelingen; meer en meer zowel beroeps- als amateurs bloembinders(sters) zijn op zoek gegaan naar 'het andere', naar het experiment. Als individuen hebben zij, behalve kritiek, toch ook veel bereikt. Zo zijn er duidelijke veranderingen in technieken, in vormgeving, in materiaalgebruik en in kleurencombinaties waar te nemen. Probeersels, rages en kortdurende trends zijn er vele en vaak zeer individueel. Dit boek probeert deze ontwikkelingen op een positieve wijze te stimuleren.

Gelukkig wordt er thans niet meer zo vreemd opgezien naar het experiment in de bloemsierkunst. De balans dreigt zelfs naar de andere

kant door te slaan. Men verwacht op een bloemschikdemonstratie of show zelfs dat 'elk' arrangement 'vernieuwend', origineel of trendy is. Natuurlijk is het onmogelijk van een bloemsierkunstenaar zoiets te verlangen. Geen enkele kunstenaar kan een dergelijk verlangen vervullen zonder op den duur afbreuk te doen aan de kwaliteit van het werk. Wereldwijd ontwikkelt de bloemsierkunst zich zeer snel. Grenzen vervagen en bloemsierkunstenaars leren elkaars werk kennen. De oudste bloemsierkunsten, de Chinese en de Japanse in het Oosten en de Europese bloemsierkunst in het Westen, beïnvloeden elkaar wederzijds.

Exposities en publikaties brengen het beeld van de 'eigentijdse bloemsierkunst' naar buiten. Binnen dit groter wordende kader is het van groot belang dat individuele bloemsierkunstenaars de 'eigen' persoonlijke stijl, de eigen invulling van hun bloemsierkunst behouden en verder ontwikkelen.

Evenals bij andere beeldende kunsten zullen er vele modernismen blijven ontstaan. Vernieuwingen die steeds weer en constant het beeld van de verschuivende 'eigen tijd' weergeven. Dit proces is oneindig en eindeloos boeiend.

Variatie aan stijlen en vormen

Voor een verdere ontwikkeling van de bloemsierkunst moeten de voorwaarden hiertoe gunstig zijn. Deze voorwaarden liggen enerzijds in het scheppen van een goede structuur in opleidingen en cursussen. Anderzijds gelden vooral het plezier van het zelf schikken van bloemen en de creatieve uitdaging die dit met zich meebrengt. Het resultaat hiervan 'het bloemstuk' schept ons nog extra genoegen door het brengen van sfeer in onze woning. Om onze vaardigheid in het schikken te vergroten is het nodig de verschillende schikstijlen en vormvariaties te leren en te oefenen.

Onontkoombaar is het in een schema rangschikken van de vele stijlen en schikvormen; hoe discutabel elk schema op zich ook is. Creativiteit laat zich natuurlijk niet zomaar in een hokje plaatsen en dat is maar goed ook.

Indelen kunnen wij volgens de volgende schema's:
- symmetrie - asymmetrie (geometrische indeling)
- klassiek - modern - experimenteel (historische indeling)
- decoratief - vegetatief - lineair - parallel (vormgevende indeling)
- steekwerk - bindwerk - lijmwerk - prikwerk
- (technische indeling)

Cruciaal is dat ieder die bloemschikt tijdens zijn- of haar opleiding of cursus kennis neemt van de belangrijkste stijlen en technieken van de bloemsierkunst. Het experiment komt pas daarna.

Het lezen van boeken, vakliteratuur, alsmede het bezoeken van tentoonstellingen, demonstraties, wedstrijden en dergelijke vullen het totaalbeeld verder in en maken de tijd rijp voor eigen probeersels en experimenten.

Dat ook de bloemsierkunst zichzelf gaandeweg een 'vakjargon' heeft aangemeten is niet vreemd. Het noodzaakt ons wel, willen wij goed met elkaar kunnen communiceren, ons dit jargon eigen te maken.

Klassiek, modern of experimenteel geschikt, in alle gevallen staat ons een ongekende variatie aan bloemschikstijlen en ideeën ter beschikking. De creatief begenadigden en de durvers onder ons zullen in staat zijn hieraan ongetwijfeld steeds nieuwe dimensies toe te voegen.

Bedenken wij dat het in het algemeen de esthetische kwaliteiten van het bloemwerk zijn die een aanschouwer enthousiast maken, die emoties kunnen oproepen. Wij mensen worden veelal aangesproken door duidelijke elementen zoals: regelmaat, symmetrie, ritme, kleur, glanzende effecten, gave vormen en complexe patronen. Het gaat daarbij natuurlijk ook om de uitstraling en de verstaanbaarheid van het werk. Dit betekent dat wij ons onder andere de volgende vragen moeten stellen:
- is een idee goed uitgewerkt
- is de kleurencombinatie een feest voor het oog
- is de vormgeving interessant en uitgebalanceerd
- zijn gevoelens en symbolen goed uitgewerkt
- sluit de materiaalkeuze aan bij de bedoeling van de schikking.

Ondergronden

De ondergrond is een zeer belangrijk onderdeel van bijna elke bloemschikking. De ondergrond kan als uitgangspunt dienen en daarbij nadrukkelijk een stempel drukken op het totaal van de compositie. Het andere uitgangspunt is dat men een bepaalde soort schikking wil maken en dat daarvoor een passende ondergrond wordt gezocht. Bij sommige schikkingen is de ondergrond niet of nauwelijks meer zichtbaar. In dat geval is het uiteraard minder van belang dat deze een opvallend karakter of een fraaie vorm heeft.
De belangrijkste functie van een ondergrond is, technisch gezien, het fungeren als waterreservoir en als houder van de bloemen.
Ondergronden zijn er in een schier eindeloos lijkend aanbod in vormgeving, kleur, structuur en decoratie.
Ondergronden van glas, keramiek, porselein, kunststof, vlechtwerk, metaal, hout en dergelijke zijn in overvloed te koop.
Een voor de bloemschikker onmisbare collectie speciale ondergronden wordt geleverd door bijvoorbeeld de fa. Smithers Oasis, en Naylor Base. Deze ondergronden zijn merendeels al voorzien van steekschuim. Zij maken het ons gemakkelijk om snel tot een goed resultaat te komen.
In speciale gevallen moeten wij de hele ondergrond en basis zelf maken. Dit doen wij bijvoorbeeld bij het maken van guirlandes of lauwerkransen met metaal of hout en stro, van touw en stro of met steekschuim.
Bij eigentijdse schikkingen is het van belang dat de ondergrond, als deze zichtbaar is, de juiste 'moderne' sfeer uitstraalt. Het 'aparte' karakter bepaalt mede het totaalresultaat van de schikking.

ONDERGRONDEN ZELF BEDENKEN EN MAKEN
Het is erg leuk en soms zelfs noodzakelijk om zelf ondergronden te bedenken en te (laten) maken. Ontwerpjes kunnen op schaal worden getekend en/of als maquette worden gemaakt. Voor een timmerman, meubelmaker, lasser, glasblazer of keramist is het meestal eenvoudig uw ontwerpje te realiseren. U kunt het natuurlijk ook zelf doen, maar niet ieder van ons is even vaardig hierin.
Een bijzonder en handig materiaal is polyester. Met glasvezel versterkt polyester is ideaal materiaal om zelfs de meest vreemde vormen van te maken. Ook het waterdicht maken van ondergronden gaat hiermee uitstekend. Voor houten bakken kunt u daartoe ook speciale coating gebruiken, zoals vijvercoating of bijvoorbeeld Hermadix Paracote.

Het werken met polyester vereist wel enige oefening, maar echt moeilijk is het niet. Ook hier zijn er weer bedrijven die desgewenst uw ontwerp kunnen realiseren. Kostbaar is meestal het laten uitvoeren van uw ontwerp door een beeldend kunstenaar. Op creativiteitsclubs zitten vaak ook handige amateurs die u van dienst kunnen zijn. U ziet, mogelijkheden genoeg.

Technieken, tips en trucs

In eerder door mij geschreven boeken over bloemschikken zijn de meeste technieken van het bloemschikken vrij uitvoerig beschreven. Daarom wil ik mij hier beperken tot het geven van een overzicht van de technieken en enkele nog niet eerder behandelde of nieuwe technieken. Ook wordt een aantal nuttige algemene tips en handige trucs behandeld.
Juist bij het ontwikkelen van nieuwe richtingen in de bloemsierkunst, het experimenteren en bij de ontwikkeling van plantaardige objecten is het vaak nodig van de geijkte technieken af te wijken. Om tot bepaalde oplossingen te komen zijn soms geheel andere werkwijzen nodig. Ook worden zo nu en dan verbeteringen gesignaleerd van oude technieken.
Opvallend is dat als wij bloemwerk nader bezien er vaak wel veel aandacht wordt geschonken aan de vormgeving, het kleurgebruik en aan de materiaalkeuze. Maar een perfecte techniek krijgt beslist niet altijd de aandacht die nodig is. Sterker nog, als bij een zeer fraai bloemstuk dat slecht in elkaar zit, de bloemen los staan, deze nauwelijks water kunnen drinken en het stuk niet vervoerbaar is, dan blijkt hieruit een onderwaardering van de techniek van het bloemschikken. Hieraan dienen wij dus veel aandacht te schenken. Bij wedstrijden en examens gebeurt het zelfs dat bloemwerk dat er op het eerste gezicht zeer mooi uitziet, toch niet tot de prijswinnaars behoort, of een diploma verkrijgt; dit vanwege de slechte techniek.
Dit mag zeker voor de gevorderde bloembinder toch niet nodig zijn. Voor een liefhebber die uitsluitend thuis bloemen schikt ligt dit heel anders. Een bloemstuk dat ter plekke wordt gemaakt en niet vervoerd hoeft te worden is probleemloos zolang de bloemen voldoende water krijgen. Ook veel Ikebana-schikkingen kunnen uitsluitend ter plekke worden gemaakt vanwege het vaak los inplaatsen van de materialen of het gebruik van losstaande loodprikkers.
Een hoogstaande technische eis qua degelijkheid wordt dus vooral gesteld aan het commerciële werk en/of werk dat moet worden vervoerd. Toch dient hier te worden opgemerkt dat ook aan amateurbloemschikkingen veel langer plezier wordt beleefd als de techniek ervan goed is.

INDELING VAN TECHNIEKEN
- Steektechnieken
  a natte technieken
  b droge technieken
  c bevestigen
  d insteken
  e droogmateriaal en zijde
- Bindtechnieken
  a handgebonden technieken
  b draadtechnieken
- Lijmtechnieken
- Alternatieve technieken
  a stapelen
  b rijgen
  c spannen
  d klemmen
  e binden
  f vlechten
  g spijkeren
  h planttechnieken
  i inlegtechnieken
  *j bevestigingstechnieken met spelden,
  stokjes, paperclips en nietjes*

k steuntechnieken
- Japanse technieken
  a kenzans (loodprikkers)
  b kubari-technieken
  c span- en klemtechnieken

Stopgroen is een oude steuntechniek. Gebruik hiervoor conifeergroen of blad. Buig dit in de vaashals en steek er tijdelijk een stokje onder om wegzakken te voorkomen. Ook kunt u het groen omgekeerd in de vaas plaatsen.

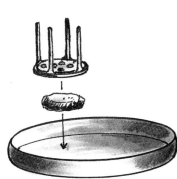

Bevestiging van een pinholder. Maak de ondergrond schoon en vetvrij. Bevestig een stukje kleefstof, Oasis-Fix, onder de pinholder, verwarm dit even met een vuurtje en druk het stevig op de ondergrond.

U kunt extra steun geven aan de Oasis door onder de pinholder twee ijzerdraadjes te plakken en deze over de Oasis kruiselings aaneen te draaien.

Oasis is ook met watervast tape goed te bevestigen.

Gaas is een goede, schone en sterke basis. Twee stokjes voorkomen dat het gaas in de vaas of pot wegzakt bij het schikken. Verwijder ze als de schikking klaar is en pas op voor krassen op de ondergrond.

STEEKTECHNIEKEN. DE ONDERGROND EN DE BASIS VAN DE SCHIKKING
Wij maken onderscheid in natte technieken voor levende bloemen en droge technieken voor droog- en zijdebloemen.
Als eerste moet de ondergrond van de schikking goed gekozen zijn en aansluiten bij de schikstijl. Ten tweede dienen wij een basis te kiezen die maximaal resultaat geeft wat betreft schikmogelijkheden, houdbaarheid en vormgeving.
Ondergronden zijn alle vormen van aardewerk, glas, kunststof, hout, polyester en dergelijke die bruikbaar zijn voor het maken van een bloemstuk. (Zie ook hoofdstuk ondergronden.) De basis kan zijn: steekschuim (Oasis) in natte of in droge vorm (Oasis-sec) voor droog- of zijdebloemen; klei (voor droogmateriaal en bij kerstwerk), gaas, Sphagnum (veenmos), stopgroen (blad of conifeer), loodprikkers, of enkel water.
Zowel de ondergrond als de basis moeten met zorg gekozen worden omdat het eindresultaat van de schikking hiervan voor een flink deel afhangt.
Voor nat steekschuim geldt dat het drenken hiervan in water met een snijbloemenvoedsel erin waarschijnlijk positief is voor de levensduur van het bloemstuk.

HET BEVESTIGEN
Het in of aan de ondergrond bevestigen van bases zoals steekschuim doen wij door eenvoudigweg vastklemmen of wij plakken met kleefstof (Oasis-fix) een of meer kunststof pinholder(s) vast op de bodem van de schaal of bak.
Daarna kunnen wij hierop het natte of droge steekschuim bevestigen. Indien dit niet mogelijk is of u geen kleefstof op een kostbare ondergrond wilt hebben, kan het ook met watervast tape. Zorg ervoor dat u in alle gevallen nog water kunt bijvullen als de schikking klaar is. Ook mag het steekschuim niet over de rand van de schaal of vaas heen hangen; het mag er wel boven uit steken.
Let er bij gebruik van gaas op dat u geen schade veroorzaakt aan de ondergrond; vooral kristalglas en kunststof is hiervoor gevoelig. Bescherming met watervast tape kan nuttig zijn.

HET INSTEKEN
Voordat u een schikking gaat maken, moeten alle bloemen en overige levende materialen eerst zijn afgesneden en een paar uur water hebben gedronken.
Pas dan snijdt u met een scherp mes de stelen schuin aan onder een hoek van ca. 45 graden. Direct daarna steekt u ze op de gewenste plaats in de schikking. Let er op dat u diep in het steekschuim steekt en de materialen dan ook vast zitten. Bij het schikken in gaas moet u de stelen extra diep in de vaas steken om er zeker van te zijn dat ze nog water kunnen drinken. Houtige takken snijden wij, als deze in steekschuim worden gestoken, tweezijdig schuin aan in een wigvorm. Als u ze dan insteekt zult u merken dat de takken veel beter vast blijven staan.
Extra degelijke technieken zijn het bevestigen van groen volièregaas (1cm.) over het steekschuim of het extra steunen van lange takken en dergelijke door ze te schoren met twee stokjes die worden vastgebonden aan de steel. Ook het rond de steel met lange krammen of pokendraad bevestigen van Sphagnum is een goede hulptechniek.

DROOGMATERIAAL EN ZIJDE
Steeds meer wordt gewerkt met droog- en zijdemateriaal.
Als bases kunnen dezelfde worden gebruikt als hierboven beschreven

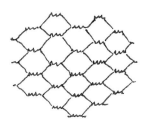

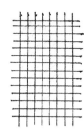

Snij de stelen schuin af en steek ze altijd diep in het steekschuim.

Als dikke of houtige stelen wigvormig worden aangesneden dan blijven ze beter in positie staan.

Duims kippegaas is vooral praktisch bij groter bloemwerk. Pas op voor uw handen en voor beschadiging van de ondergrond.

Geplastificeerd voliéregaas werkt fijn voor kleiner bloemwerk.

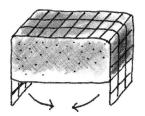

Zware takken kunnen goed worden gesteund door twee stokjes in tegengestelde richting er langs te steken en alles met draad stevig vast te binden.

Bevestig gaas eventueel rondom het steekschuim; maak het met ijzerdraad onderaan aan elkaar vast of doe dit met lange poken aan de zijkant. Soms is een smal strookje gaas al voldoende om de enkele lange tak extra steun te geven.

voor levende bloemen; alleen gebruikt u ze dan droog. Speciaal geschikt zijn echter: Oasis-sec en klei. Oasis-sec kunt u in veel gevallen goed vastlijmen op de ondergrond; al dan niet in combinatie met een paar pinholders of tape. Klei wordt in dun plastic gewikkeld tegen het uiteenvallen als het indroogt.

Wat schiktechnieken betreft is er nauwelijks verschil met die bij levende materialen. Wel is het zo dat u onderin een pot vaak wat zware stenen o.i.d. moet doen om omvallen te voorkomen.

BINDTECHNIEKEN

Hieronder verstaan wij alle technieken waarbij, door binden, materialen worden bijeengehouden als boeket of als schikking. Ook kunnen wij het binden hanteren om als decoratief element in een schikking te fungeren. Als alternatieve techniek zijn bindsels vrij populair.

Het binden valt uiteen in twee onderdelen:

a handgebonden technieken bij boeketten

b draadgebonden technieken bij corsages en bruidswerk

Het binden zelf geschiedt met behulp van bindmateriaal zoals: touw, raffia, lint, ijzerdraad, tape of dunne twijgen.

Het zijn belangrijke technieken die wel veel oefening vereisen.

LIJMTECHNIEKEN

Vooral in de moderne bloemsierkunst wordt steeds meer gebruik gemaakt van lijmtechnieken. Dit gebeurt meestal met behulp van het lijmpistool. De zeer hete lijm wordt dun aangebracht op de te verlijmen delen en direct tegen elkaar geplakt. Binnen enkele seconden is de lijm droog, (denk aan uw handen, verbranden is zo gebeurd). Naast het onmisbare lijmpistool is er de koude Oasis-glue, een speciale lijm waarmee gemakkelijk levende en dode materialen kunnen worden gelijmd. Probeert u dit eens, eenmaal gebruikt wilt u het niet meer missen. Zeker bij het verwerken van attributen en bij droog- of zijdeschikkingen is het echt een uitkomst.

ALTERNATIEVE TECHNIEKEN

Steek- en bindtechnieken zijn ongetwijfeld veruit het belangrijkst bij het bloemschikken.

De ontwikkelingen van de laatste 10 jaar laten ons echter zien dat meer en meer nieuwe, alternatieve technieken hun intrede hebben gedaan en doen bij het bloemschikken. De drang naar verdere ontwikkeling van vormgeving; het ontwikkelen van nieuwe schikvormen en de enorme toevloed van allerhande attributen en bijmateriaal, hebben

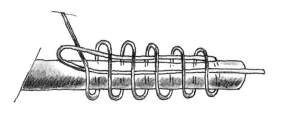

De takeling is een goede techniek om een
bindsel te maken zonder lelijke knopen.

Het stapelen van blad, bloemen, vruchten,
leisteen e.d. is een veelgebruikte eigentijdse
techniek die tot rust en sterke groepering leidt.

Spannen is als techniek en als vormgeving
bijzonder interessant. Het is een techniek die
vooral in het moderne- en experimentele
schikken veel wordt toegepast.

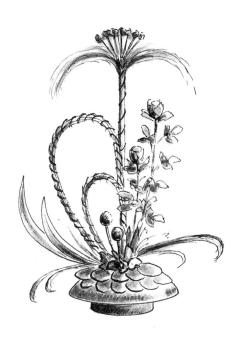

Rijgen is een techniek die steeds populairder
wordt.

Bijeenbinden van materiaal is een oude techniek voor boeketten en kransen. Ook decoratief zijn bindsels heel fraai en geven aparte
effecten.

Met bindsels en omwinden kunnen materialen decoratief worden gebundeld. Vooral als
gekleurd bindmateriaal wordt gebruikt zijn
leuke effecten mogelijk.

deze ontwikkeling versneld. Ook de invloeden uit de Japanse bloemsierkunst, kubari-technieken en span- en klemtechnieken spelen een
grote rol. De belangrijkste worden hier kort toegelicht. Voor verschillende technieken geldt dat zij behalve als techniek, vaak ook vorm-
gevend of als thema-uitbeelding kunnen worden gehanteerd.

STAPELEN

Dit is een veelgebruikte moderne techniek waarbij materiaal zoals
blaadjes of leisteen worden gestapeld; hierdoor ontstaat een sterk
gegroepeerd- of structuur effect. Vooral bij lineaire schikkingen is dit
een zeer belangrijke techniek.
Gegroepeerd materiaal, al dan niet in gestapelde vorm, geeft direct
een krachtige vormgeving en ook rust in de schikking. Als daarbij
voor een ruimtelijke lineaire schikwijze wordt gekozen dan is het
niet moeilijk meer om een modern ogende schikking te maken.

RIJGEN

Hierbij worden materialen bijvoorbeeld aan een draad geregen. Dit
kan nodig zijn bij het maken van slingers of bij het decoratief verwerken van bepaalde bijmaterialen of attributen.

Als rijgdraad kunt u van alles gebruiken, bijvoorbeeld: ijzerdraad,
(rolletjes wikkeldraad), touw of lint.

SPANNEN

De spantechniek omvat het tussen de rand(en) van een schaal, bak
of vaas inklemmen van materiaal. Meestal gebruiken wij hiervoor
takken. Tussen de takken kunnen wij dan desgewenst weer ander materiaal inklemmen. (Zie het hoofdstukje over Spannen en klemmen.)

KLEMMEN

Dit is nauw verwant aan de spantechniek. Het gaat hierbij om het
klem zetten van materiaal in een bak, schaal of vaas. Naast techniek
is klemmen ook als thema-uitbeelding een interessant onderwerp.

BINDEN

Het maken van bindsels; het bijeenbinden van materiaal op een vaak
decoratieve wijze, is een geliefde techniek geworden. Zelfs in veel
traditioneel getint bloemwerk zien wij bindsels, hoewel het natuurlijk vaak veel beter op zijn plaats is in bijvoorbeeld een moderne
decoratieve schikking.

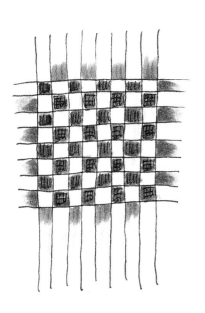

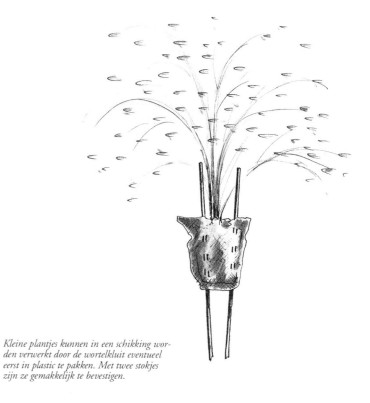

Vlechten is een recente bloemschiktechniek die uit de oude weefkunsten en het mandenmaken stamt. Vooral materiaal dat geen water nodig heeft of dat door droging heel mooi wordt kan tot boeiende composities worden gevlochten.

Zware takken e.d. kunnen met een schroef of spijker op een plankje worden bevestigd. Hierna kunt u dit in zijn geheel in een schaal plaatsen en steekschuim bevestigen.

Kleine plantjes kunnen in een schikking worden verwerkt door de wortelkluit eventueel eerst in plastic te pakken. Met twee stokjes zijn ze gemakkelijk te bevestigen.

VLECHTEN

Bij deze techniek worden materialen kruiselings over en door elkaar geslagen tot een geheel. De vlechttechniek wordt vanaf het begin der jaren tachtig in de bloemsierkunst toegepast. Het is interessant u eens te verdiepen in de technieken van het mandenvlechten. De daar gebruikte vlechttechnieken zijn voor een deel zeer goed toepasbaar in de bloemsierkunst en het is ook heel leuk om zelf te doen.

SPIJKEREN EN SCHROEVEN

Het lijkt wat vreemd, maar het vastspijkeren van materiaal is een oude en nog steeds gebruikte techniek. Zware takken, houtige vruchten, maar ook bepaalde attributen kunnen aan de ondergrond (indien deze dit toelaat) worden vastgespijkerd. Ook kunt u een zware tak op een plankje spijkeren of schroeven en dit dan op de bodem van de ondergrond zetten of daarin vastklemmen. Als u daarna de Oasis bevestigd, dan heeft u een goede bevestiging voor moeilijke takken. Verder kan in harde vruchten een spijker worden geslagen waaraan dan een dikke ijzerdraad te bevestigen is.

PLANTTECHNIEKEN

Het opplanten van planten in een bak vereist een eigen techniek. Het kan gaan om het maken van een echte plantenbak met aarde of om het verwerken van een plantje met wortel en al in een bloemstuk, krans of boeket. In het laatste geval kunnen we het beste de pot verwijderen en het plantje, nadat eventueel losse of overtollige aarde en wortels zijn verwijderd, in een stukje plastic in te pakken. Zo kunt u het plantje in veel gevallen direct verwerken. Soms is het nodig nog een (poken)draad om de wortels en het plastic te draaien of gebruik te maken van een paar tonkinstokjes.

INLEGTECHNIEKEN

Dit betreft het gewoonweg los in een schaal of bak neerleggen van materiaal. Er wordt geen gebruik gemaakt van enig steekmedium of andere basis. De oorsprong van de inlegtechnieken vinden wij in de drijfschaal. Hierbij leggen wij eenvoudigweg een of meer bloemen en wat blad in het water. Wij kiezen hiervoor een mooie schaal als ondergrond.

BEVESTIGINGSTECHNIEKEN MET SPELDEN, STOKJES, PAPERCLIPS EN NIETJES

Spelden zijn handig bij het vastprikken van klein bladmateriaal op een ondergrond, bijvoorbeeld op een Oasis-sec vorm. Wij gebruiken daarvoor de gewone zwarte etalagespelden.
Ook bij bevestiging van lint kunnen spelden handig zijn.
Stokjes zoals satestokjes kunnen een schikking een apart effect geven indien deze worden gebruikt om materiaal ermee aan elkaar te bevestigen. Dit kan door het stokje dwars door enkele stelen heen te steken of ze bijvoorbeeld door een blad te rijgen; meer toepassingen zijn denkbaar.
Paperclips kunnen ook dienen voor het op een decoratieve wijze aan elkaar bevestigen van materiaal. Gekleurde paperclips geven een extra verrassend effect.
Nietjes kunnen dienen om blad op een ondergrond te bevestigen. Ook het aaneen nieten van materiaal is soms aardig en bij het maken van strikken of bevestigen van lint zijn nietjes vaak onmisbaar.

STEUNTECHNIEKEN

Bij het bevestigen van zware takken of krom materiaal is het soms moeilijk deze in de gewenste positie te houden. De hulp van een

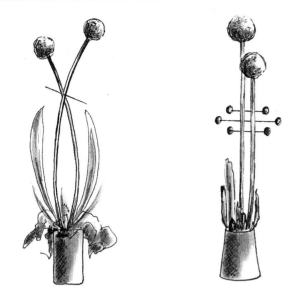

Sate stokjes kunnen dienen voor bevestiging of zijn als decoratief element erg leuk.

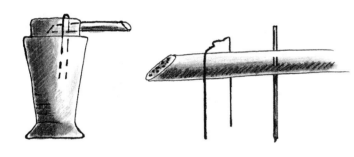

Stelen die, als het niet anders kan, horizontaal worden ingestoken kunnen met een lange kram of met een dun stokje worden gefixeerd.

Met grote paperclips in allerlei kleuren zijn aardige effecten te bereiken. Vouw eens blad dubbel of voeg delen samen.

De kenzan of loodprikker is een handig hulpmiddel voor schikkingen die met weinig materiaal worden gemaakt, maar ook in de schaal of vaas een open effect moeten krijgen.

paar stokjes die in tegengestelde richting als schoor fungeren is hiervoor de oplossing (vaak is het vooraf bevestigen van fijn volièregaas en het tweezijdig schuin afsnijden van de takken al voldoende). Een andere mogelijkheid is het rond de steel bevestigen van Sphagnum dat met lange krammen stevig wordt vastgestoken.

Een extra hulpmiddel bij materiaal dat horizontaal wordt ingestoken is het dwars door de stengel (of eroverheen) steken van een kram of een stokje.

In plaats van krammen kunt u vaak beter dik pokendraad nemen, dit op de gewenste lengte afknippen en buigen. Deze eigengemaakte groene kram is op elke lengte te maken.

JAPANSE TECHNIEKEN

Handig is de Kenzan of loodprikker; deze bestaat uit een loden basis die bezet is met vele koperen spijkertjes. Op deze spijkertjes kunt u de bloemstelen vastdrukken. Bij dikke en houtige materialen is het belangrijk deze vooraf kruiselings in te knippen of te snijden omdat u anders de prikker beschadigt.

Kubari-technieken (het inklemmen of vastzetten van materiaal met behulp van stokjes) zijn zeer interessant en ook in veel gevallen goed bruikbaar in de moderne bloemsierkunst. Het is nuttig in dit verband eens een goed boek over Japanse bloemsierkunst te raadplegen. Vele handige en bruikbare technieken worden daarin beschreven. Het basisprincipe is het tussen de wand(en) van een vaas, schaal of bak inklemmen van rechte of wigvormige takjes. Los hiervan of eraan vastgemaakt kunt u bloemen, takken of blad plaatsen en zo een schikking creëren waarbij de opening van de ondergrond vrij en ruimtelijk blijft.

In de Westerse moderne bloemsierkunst worden kubari-technieken ook wel als vormgevend element gebruikt in plaats van als steunmiddel.

SPAN- EN KLEMTECHNIEKEN

Vanuit de kubari-technieken zijn de span- en klemtechnieken ontstaan. Hierbij is meer creatieve vrijheid dan bij de traditionele Japanse technieken. Het principe is vrijwel eender: het inklemmen van materiaal, maar dan op een creatievere manier. (Zie het hoofdstukje Spannen en klemmen.)

Ideeën bedenken en realiseren

Het zelf bedenken van allerhande creatieve ideeën lijkt veel moeilijker dan het is. Het realiseren van ideeën geeft soms wel complicaties maar meestal zal dit wel lukken indien u hiervoor de juiste wegen leert bewandelen en voldoende vaardigheden aankweekt.

Het bedenken en realiseren van een idee hangt in feite nauw samen maar wordt gescheiden uitgevoerd. Enig inzicht in en kennis van technische mogelijkheden en onmogelijkheden is nuttig om een constructie van het juiste materiaal te vervaardigen.

De door u ontworpen vormen, ondergronden en dergelijke verlangen voor een optimaal resultaat en perfectie een bepaald materiaal. U kunt bijvoorbeeld kiezen uit hout, metaal of polyester. Het typische eigen karakter van deze materialen bepaalt mede het eindresultaat. Dat ook het karakter van de plantaardige materialen, de soortenkeuze, de kleuren en de vormgeving, daarbij elk een rol spelen is vanzelfsprekend.

Ideeën komen bij de meeste mensen niet zomaar aangewaaid.

Je moet er soms heel wat voor doen om tot een goed uitgebalanceerd idee te komen, inclusief de keuze van de materialen, de compositie-wijze, de ondergrond en dergelijke.

Om u alvast op weg te helpen zijn de volgende adviezen nuttig maar ook erg leuk om te gaan doen:

- leg een ideeënmap aan
- leg elk ideetje, hoe simpel ook, direct vast door middel van een schetsje
- maak aantekeningen op de schets zodat u ook later nog weet wat u toen bedoelde
- lees elk boek en bloemschikblad dat u kunt vinden; bestudeer ook de daarin staande foto's en tekeningen
- lees boeken over kunst en kunstgeschiedenis, over compositie en vormleer, over kleur en dergelijke
- bestudeer de planten en dierenwereld, ontdek de interessante groeiwijzen, vormen en kleurpatronen
- ga naar bloemsierkunst-tentoonstellingen, wedstrijden en demon-straties; doe hieraan indien mogelijk ook zelf mee
- neem altijd uw fototoestel mee en maak foto's van de meest originele schikkingen
- volg een goede bloemschikcursus of vakopleiding en ga hiermee door via nascholingscursussen
- vorm een studie- of discussiegroep en bespreek met elkaar de uitgewerkte thema's
- gooi nooit een idee weg, maar werk het verder uit en bezie het vanuit verschillende invalshoeken
- kijk ook verder dan het bloemschikken en leer van andere creatieve richtingen zoals: tekenen, schilderen, boetseren, potten-bakken, mandenvlechten; probeer hieruit nieuwe ideeën op te doen
- bestudeer de oude historische bloemsierkunst via boeken en schilderijen
- wees alert op eigentijdse ontwikkelingen en trends in de mode, de kunst en architectuur
- tot slot: wees kritisch en bezie een thema, een idee van verschillen-de kanten; kies dan pas voor het definitieve idee en werk dit uit

Het voorgaande lijstje doet u misschien een beetje schrikken maar bedenk wel dat u hiermee uzelf meer mogelijkheden biedt om gestructureerd kennis te vergaren en leuke plannen te bedenken.

Ook is het niet nodig om alles tegelijk aan te pakken; doe vooral de dingen die u zelf leuk vind.

U zult zien dat uw ideeënboek en fotocollectie voor u een onschat-bare bron van informatie gaat worden.

Tot nog toe hebben wij het gehad over het bedenken van ideeën. In dit boek zijn ook enkele ideetjes vorm gegeven; van de eerste schets tot het definitieve ontwerp.

Het voorgaande mag natuurlijk niet leiden tot een star en zielloos toepassen van een methode. Het bedenken van ideeën heeft ook alles te maken met de ontwikkeling van de kunstzin en met het eigen intuïtieve karakter; met gevoel voor schoonheid en het ontroerd worden door het zien van de schepping der natuur.

Kunst blijft gebaseerd op het persoonlijke gevoel, op emotie. Als het persoonlijke beleven en het gevoel zich manifesteren in de uiteindelij-ke creatie, dan ontstaat heel mooi bloemwerk. De eigen persoonlijk-heid ligt hier dus meestal aan ten grondslag.

Creativiteit en durf worden beloond

Creativiteit impliceert scheppingsvermogen. De bloemsierkunstenaar die scheppend bezig is met plantaardige materialen, al dan niet gecombineerd met niet-plantaardige materialen zoals kunststof, metaal en dergelijke, tracht uitbeelding te geven aan zijn of haar ideeën en gedachten.

Dit kan natuurlijk ook een uitbeelding zijn van een thema of een vertolking van een gedicht met bloemen. De uiteindelijke creatie (schepping) zal vaak een originele vorm van bloemwerk te zien geven. Nu zijn er ongetwijfeld mensen die van nature al zo creatief zijn dat zij als vanzelf tot boeiende scheppingen komen. Voor de meeste onder ons is er echter een weg te gaan van studie, onderzoek en oefening. Algemene kennis en ontwikkeling op een veelzijdig terrein in kunst en cultuur speelt hierin veelal een grote en vaak ook bepalende rol. Niet voor niets kent een goede vakopleiding in bloemsierkunst studieonderdelen zoals: kunstgeschiedenis, kleurenleer, compositie-en vormleer en tekenen. De kennis hiermee opgedaan helpt mee zichzelf een beeld te vormen en dingen of gedachten te concretiseren in creatief bloemwerk. Hoe belangrijk het voorafgaande ook moge zijn, doorslaggevend is en blijft de studie van de techniek van het bloemschikken. Vanaf de eerste prille beginselen tot aan het meest gecompliceerde bloemwerk geldt steeds dat een goede technische ver-werking van de materialen garandeert dat de schikking niet alleen maar mooi of boeiend is, maar ook dat deze een aantal dagen in die staat blijft. Alleen de uiterlijke hoedanigheid van bloemwerk beoor-delen is dan ook fundamenteel onjuist.

Wij mogen gerust stellen dat iedereen in zekere mate creatief is. Er is echter wat durf en moed nodig om deze creativiteit ook daadwerke-lijk te ontwikkelen.

Creatief zijn of worden betekent vooral; steeds vooruitzien en uit-gaande van het heden toekomstgericht denken.

Creatief gedrag betekent het steeds weer oplossen van een gesteld probleem, het uitwerken van een idee. Helaas belemmeren de dage-lijkse, vastgeroeste gewoonten, het onvermogen om verschillende invalshoeken te vinden en dergelijke de ontwikkeling van onze creativiteit.

Vanaf nu is die traditionele zekerheid voor u niet langer toegestaan. De te volgen weg tot meer creativiteit omvat het overwinnen van een aantal barrières en remmingen. U gaat ideeën ontwikkelen en plan-nen bedenken. Gebrek aan kennis vult u aan door studie en/of onderzoek. Een kritisch positieve houding en het alert zijn op alles rondom u is vanaf nu van groot belang. Om u alvast wat op weg te helpen kunnen enkele tips u wellicht van pas komen.

TIPS VOOR DE ONTWIKKELING VAN CREATIVITEIT
- laat het vreemde u een uitdaging worden, sta positief tegenover het nieuwe
- denk vooruit en speel flexibel in op het thema en de materialen
- stel uzelf interessante doelen en ontwikkel uw talenten
- wacht niet, maar begin direct, lees, onderzoek en oefen
- denk bij het uitwerken van een thema niet alleen aan vorm, kleur, ondergrond, materiaal, maar vooral ook aan het totaalbeeld van de schikking
- zoek naar nieuwe betekenissen van de dingen, voorkom starheid in uw denken en bloemwerk

- leg ideeën vast met potlood, maak schetsjes en foto's en leg uw eigen ideeënmap aan
- zoek creatieve boeiende mensen om u heen, geef opbouwende kritiek en zoek het positieve in het negatieve
- leer een thema of idee analyseren, orden alle gegevens, brainstorm tot u een boeiende oplossing hebt gevonden
- rondom u heen vindt u duizenden ideeën, leer waarnemen, ontdek ze, wandel in de natuur, ga naar een museum
- plaats een schikking in een passende omgeving, presenteer deze ook eens samen met leuke attributen, een mooie lap stof of iets dergelijks, zodat een fraai totaalbeeld 'een sfeerhoekje' ontstaat

Dit lijstje kan met andere stellingen en tips worden aangevuld; misschien een idee uzelf hierop eens creatief uit te leven.

SOORTEN VAN CREATIVITEIT

Creativiteit heeft veel te maken met intelligentie. Intelligentie kan gericht zijn op kenniszaken (de studiebol), maar kan ook gericht zijn op meer praktische zaken (de doe-mens, de ambachtsman en kunstenaar). Wij kennen allemaal wel hiervan voorbeelden in onze eigen omgeving. De oorzaak van dit verschil schijnt te liggen in de werking van onze linker- en rechter hersenhelft. De mate van overheersing bepaalt grotendeels onze mogelijkheden.

De linker hersenhelft is vooral actief waar het gaat om kenniszaken. Deze mensen denken vaak convergent (er is dan slechts één oplossing mogelijk).

De rechter hersenhelft is meer creatief ingesteld. Mensen denken dan meer divergent (er zijn meerdere oplossingen mogelijk). Belangrijk is dat jonge kinderen worden gestimuleerd in creativiteit en zelfstandigheid. In opvoeding thuis en op school is stimulans en beloning in deze zeer belangrijk en bevordert de creatieve ontplooiing.

De jonge bloembinder dient ook zijn eigen waarnemingsvermogen te leren ordenen. Hij kan door studie zijn talent en kunde verder ontwikkelen. Binnen dit kader zal de nodige kennis en praktijkervaring moeten worden opgedaan. Bloemsierkunst is vooral het uitdrukken van gevoelens met overwegend plantaardige 'natuurlijke' materialen.

Extra's voor een leuk effect

Onder extra's verstaan wij een grote verscheidenheid aan allerlei attributen, bijzondere voorwerpen, kaarsen, lint en dergelijke, die een bloemschikking een bijzonder effect kunnen geven. Dit effect kan puur decoratief zijn; het kan symbolisch zijn; het kan een vertolking zijn van de bedoeling of bijbedoeling van een schikker en zelfs kan het de hoofdzaak zijn van een schikking.

De huidige ontwikkelingen in de bloemsierkunst laten ons zien dat thans een veelheid aan allerhande materialen in het hiervoor genoemde kader worden toegepast. Als contrast hiertegenover staat de bloembinder die zweert bij het puur natuurlijke bloemschikken. De uitbeeldingskracht wordt in dat geval uitsluitend gevonden in de totaliteit van de compositie, de materiaalkeuze, de gedetailleerde vormgeving en de kleurstelling. Beide benaderingswijzen kunnen leiden tot zeer fraai 'eigentijds' bloemwerk. Moderniteiten kunnen ook leiden tot een kitserige chaos aan van alles en nog wat. Extra's worden in dat geval tot een goedkope truc om even snel iets uit te beel-

den of om een schikking een sfeer van modern of apart mee te geven. Natuurlijk is er niets op tegen om op een feest- of bloemendag, zoals Valentijns- of Moederdag, een bloemenarrangement te voorzien van een of meer hartjes, integendeel.

Als alternatief kan echter ook gezocht worden naar de uitbeeldingskracht van het materiaal zelf en de compositiewijze. Ook kunt u zelf een origineel attribuut bedenken en maken.

Commercieel denken is voor sommigen noodzaak; creatief denken is veel leuker en bevredigt meer; het kan overigens vaak best samengaan.

Een goede methode om iets origineels te bedenken voor een attribuut, het extra van een schikking, is het nazoeken, lezen, uitpluizen van feestdagen, betekenissen, materialen, kleuren en symbolen.

U zult merken dat er veel onverwachte aanknopingspunten zijn die u zullen inspireren tot het bedenken van originele attributen. Er is te veel om hier op te noemen, maar de in het rijtje hieronder genoemde extra's geven alvast een indicatie om zelf aan de slag te gaan.

- acryldoek	- lapjes stof
- auto-onderdelen	- letters
- ballonnen	- lint
- bamboe	- metaaldraad
- beeldjes	- metaalgaas
- beroepsvoorwerpen	- metaalplaat
- boeken	- muziekinstrumenten
- compactdiscs	- Perspex
- confetti	- pitriet
- Dekofaser (kunstwol)	- plasticfolie
- doorntakken	- prikkeldraad
- flessen	- rietmat
- gereedschap	- sierbeestjes
- geschenken	- sleutels
- glasbollen	- stenen
- hartjes	- sterretjes
- hoefijzers	- stervormen
- houtstronkjes	- teksten
- huishoudelijke voorwerpen	- touw
- jute	- veren
- kaarsen	- verpakkingsmaterialen
- klei	- vruchten
- kralen	- wortels
- kunstvoorwerpen	- zand

Kleur

Kleur is een zeer wezenlijk deel van alles rondom ons heen. Kleur beïnvloedt ons heel direct maar doet dit ook indirect. Kleur geeft zelfs richting aan ons gevoel, zowel positief als negatief. Kleur maakt dat dingen er warm, opwindend of aantrekkelijk uitzien; het laat de dingen op ons afkomen en in het oog springen. Of kleur zorgt voor het tegengestelde effect van; koud, rustgevend, terugwijkend, afstotend.

Kleuren geven meer vorm aan de dingen waardoor deze beter herkenbaar voor ons worden. De verschillen tussen licht en donker, contrast en structuurverschillen spelen hierin een bijna even grote rol.

Kleur is beslist niet alleen maar emotioneel maar beïnvloedt de compositie, de eenheid, het evenwicht, het ritme, het contrast, de ruimte-lijke werking van vormen; dus ook van bloemschikkingen.

De kleuren van de natuur, van bloemen, vruchten, planten, dieren, vissen, stenen, zand en dergelijke, zijn in een ongekende verscheiden-heid aanwezig. Vaak is hier een specifieke reden voor de aanwezig-heid van kleur zoals het groen in het blad dat voor de fotosynthese zorgt. Insekten bezoeken bloemen met een bepaalde kleur en zorgen zo voor de bevruchting en dus voor het behoud van de plantesoort. Ook kleurrijke smakelijk uitziende vruchten en zaden worden door vogels en dieren verspreid. Zoogdieren, insekten en vogels gebruiken hun eigen kleuren vaak ook om op te vallen voor soortgenoten of deze dienen als camouflage tegen vijanden.

Kleuren geven soms ook aan of iets giftig is of niet; bepaalde boom-kikkers zijn voor zelfbescherming daarom fel gekleurd. De natuur leert ons dat vele fraaie kleuren er vooral zijn om het bestaan der soorten te garanderen.

Symboolkleuren zoals groen, oranje, rood, blauw en dergelijke spelen ook in ons eigen dagelijkse bestaan een min of meer belang-rijke rol. Wij denken hierbij aan stoplichten, gele parkeerstrepen, groen als kleur van veilig (nooduitgangen), rood als kleur van onvei-lig (stoplichten, brandblussers).

In de religie spelen kleuren een belangrijke rol in de dienst. Zo zijn wit en geel de kleuren van feest, paars de kleur van boete en is zwart de kleur van rouw. Deze gebruiken verschillen vaak per religie en land.

De seizoenen worden gekenmerkt door een eigen kleurenbeeld en plantengroei. In schikkingen kunnen wij hierop inspelen.

PSYCHOLOGIE

De kleurenpsychologie tracht er achter te komen hoe kleuren op ons menselijk gevoel inwerken en mogelijk ook ons gedrag beïnvloeden. Veel op dit terrein is nog steeds duister maar dat kleur een grote in-vloed heeft op onze emoties, het gevoel en ook op het gedrag, dat staat wel vast. Bekend is dat in het algemeen kinderen andere kleur-voorkeuren hebben dan volwassenen. De cultuur en het klimaat van een land waarin men leeft geeft ook grote verschillen in kleurvoor-keur te zien. Kleurentesten zoals die van Lücher geven een aardig beeld van de eigen persoonlijkheid, gerelateerd aan kleurvoorkeuren, maar er blijven veel onzekerheden en het is nog erg speculatief. Bekend is wel dat felle, schelle kleuren minder aantrekkingskracht hebben dan de subtiele ingetogen rustgevende kleuren.

SYMBOLIEK

Kleurensymboliek is zo oud als de mensheid zelf. Het speelde in de oude magieën en riten een grote rol; zwart, rood en wit zijn in dit verband een soort oerkleuren. Groen werd de kleur van leven en hoop en geel de kleur voor oogst en lente.

De verschillende interpretatie van kleuren door de Oosterse en Wes-terse landen maakt het niet eenvoudig hier eenduidig over te zijn.

MATERIAALINVLOEDEN

Kleuren van keramiek en andere ondergronden spelen ook een rol in het totaal van de bloemschikking. Het kleureffect hiervan wordt mede bepaald door de structuur van het oppervlak, dit kan zijn: ruw, glad, glanzend, dof enzovoort. Bij glas speelt kleur nog een extra rol vooral als dit transparant van karakter is. Dit leidt soms tot verrassende kleureffecten. Blank kristalglas breekt het opvallende zon-licht en laat het ons als de regenboogkleuren zien (rood, oranje, geel, groen, blauw, paars). Gekleurd glas geeft weer heel andere effecten.

Wie boeiende kleureffecten wil zien moet eens een gotische kathe-draal met glas-in-lood ramen bezoeken. Ook in uw eigen omgeving vindt u vaak fraaie ramen. De St. Jan kerk in Gouda heeft zelfs heel beroemde glazen (16e eeuw) van Dirck en Wouter Crabeth. Beroemd zijn ook de ramen van de kathedraal van Chartres in Frankrijk.

HISTORISCHE INVLOEDEN

Voor de bloemsierkunstenaar is het van belang dat hij ook enige ken-nis bezit van de kleuren van het interieur en van mode. Vooral het interieur is de plaats waar bijna al het bloemwerk uiteindelijk een bestemming vindt.

Verschillende stijlperioden worden gekenmerkt door een eigen kleur-beeld. Soms volgen de kleurperioden elkaar snel op. Als voorbeeld is het kenmerk van de Rococo het gebruik van intieme pasteltinten in wit, roze, goud, lila, geel en zilver. De moderne tijd (de 20e eeuw) kent een sterk wisselend kleurgebruik, maar het vrije gebruik van kleuren, vaak in harde felle combinaties valt toch wel het meeste op. Deze worden algemeen als modern ervaren. Het is interessant deze perioden eens nader te bekijken.

KLEURSYSTEMEN

Voor de bloemsierkunstenaar is het noodzakelijk te leren van het kleurgebruik op velerlei gebied uit het verleden. Extra aandacht is gewenst voor de ontwikkelingen en het kleurgebruik in de moderne kunst. Het impressionisme, het expressionisme en later de abstracte kunst leren ons veel over kleur als zelfstandig uitdrukkingsmiddel, zij het dat kleur in een bloemschikking altijd aan het plantaardige mate-riaal is verbonden. Het zelf verven van levend materiaal moeten wij zoveel mogelijk voorkomen.

Van invloed op de moderne kleurontwikkelingen was ook de op-komst van religieuze bewegingen zoals: theosofie (Rudolf Steiner), spiritisme en antroposofie (Kandinsky en Mondriaan). Daarnaast heeft de moderne wetenschap, met name de psychologie, natuur-kunde, fysica en biologie een zeer grote invloed gehad (en nog) op de kleurkennis en op het kleurdenken. Steeds meer kleurtheorieën overstroomden de wereld. Het 'wat is waar' werd er niet gemakke-lijker op.

Thans zijn kleursystemen van Albert Munsell en het CIE (Commissi-on Internationale de l'Eclairage) internationaal belangrijk. Systemen van Goethe, Ostwald, Itten en anderen spelen nog wel een rol, vooral in kunstzinnige vakken, dus ook in de bloemsierkunst. Heel belangrijk is hierbij de keuze van de primaire kleuren omdat daarmee alle combinaties aanvangen.

De beste keuze is hierin bij het substractief mengen van verf:
Primaire- ofwel chromatische basiskleuren: citroengeel, magentarood en cyaanblauw.
Secundaire kleuren: rood, groen en violet.
Achromatische basiskleuren: wit en zwart.

MODE

In de internationale modewereld wordt de modetrend, voor wat betreft kleuren, grotendeels bewust gecreëerd. Invloeden uit het verleden; andere landen (China, Japan, Afrika), de media, film, beschikbaarheid en prijs van bepaalde kleuren (verfstoffen) en mate-rialen vormen voor de kleurenadviseurs de basis om tot een nieuwe kleurtrend te komen. Bloemen worden in een steeds grotere verschei-denheid gekweekt en wat er niet is dat wordt naar de mode en de vraag helaas domweg geverfd...

Nieuwe vermeerderingsmethoden zullen ertoe leiden dat steeds meer bloemen, vruchten en groenten in allerlei kleuren (en geuren) in de komende jaren beschikbaar komen. Gele anthuriums, blauwe anjers en zwarte tulpen zullen heel gewoon worden.
Onverwachte kunststromingen zoals in de jaren '80 'Memphis' blijken zeer veel invloed op het eigentijdse kleurenbeeld te kunnen uitoefenen.
Wat de toekomst ons zal brengen is ongewis. Vast staat wel dat een grondige studie van kleur en het inspelen op de huidige kleurtrends ons meer kansen biedt in de bloemsierkunst 'eigentijdse' kleurrijke schikkingen te maken.

KLEURTIPS
- De eenvoudigste kleurencombinatie is de monochrome eenkleurige combinatie. Hierbij combineren wij verschillende tinten van één kleur, ook wel 'ton sur ton' of 'toon in toon' genoemd. Het gevaar van een lelijke combinatie is groot als de nuances te dicht bijeen liggen.
- Hoe meer variatie in kleuren hoe moeilijker het wordt eenheid in de schikking te krijgen.
- Eenheid wordt gemakkelijk verkregen door beperking en door herhaling. Het gevaar is wel dat het geheel monotoon wordt.
- Rood op zwart of goud op zwart geeft een chique en weelderig effect.
- De omgevingskleuren bepalen mede het kleureffect van de schikking. Een contrastrijke omgeving versterkt het kleurbeeld.
- Goede belichting en de juiste lichtkleur zijn van wezenlijk belang voor het kleureffect. Elk bloemstuk straalt ook een soort innerlijk licht uit.
- Grote kleurvlakken komen op ons af; kleine lijken verder weg en kleiner.
- Als de kleurcompositie van de schikking krachtig is, moet de omgeving neutraal zijn.
- Sterke en donkere kleuren geven het gevoel van zwaarte.
- Zelf mengen van verfkleuren geeft meer inzicht over kleur en kleurcombinaties, oefen hierin.
- Bewust onevenwichtig opgebouwde kleurcomposities kunnen tot interessante effecten leiden.
- Door kleuraccenten kunnen wij de nadruk leggen op bepaalde plekken in de schikking.
- Vraag uzelf af of een kleurcompositie wel per se evenwichtig moet zijn. Juist als er geen duidelijke eenheid is kan een interessant kleurbeeld ontstaan.
- Als u kleuren met heel weinig contrastverschil bijeen verwerkt lijken deze zich met elkaar te vermengen.
- Kleuren die te dicht bijeen liggen in de kleurencirkel zijn in combinatie vaak niet mooi omdat voldoende contrast dan ontbreekt. Dit kan bij toon in toon combinaties gemakkelijk voorkomen.

- Complementaire kleuren en andere sterke contrasten leiden tot een levendiger kleurbeeld.
- Wij zien kleuren altijd samen met de omgevingskleuren; hou hiermee rekening bij het samenstellen van de schikking.
- Kleuren beïnvloeden de naastliggende kleuren; dit optische effect bepaalt mede het eindresultaat.
- Een neutrale kleur tussen twee felle kleuren of tussen twee niet harmonieuze kleuren verbetert de harmonie.
- Interessant zijn combinaties met kleuren met een kleine verzadiging, waartussen een paar sterke kleuraccenten worden gezet.
- Hoe feller het licht is, bijvoorbeeld zomers buiten, hoe sterker de kleurencombinatie mag zijn.
- Plaats in een ruimte met gedempte zachte kleuren eens een krachtige kleurencombinatie; u zult zien hoe fraai dit is.
- Maak eens een schikking die voornamelijk bestaat uit groene vlakken en plaats daar enkele kleuraccenten in.
- Denk niet alleen aan kleur als kleur maar bezie dit ook als lichte-, midden-, en donkere partijen die samen in een geheel opgaan.
- Kleurcontrasten spelen een voorname rol in de schikking. Als u felle sterk contrasterende kleuren direct naast elkaar zet, neemt de kleurenintensiteit toe; het sterkst is het complementaire effect.
- Als u lichte kleuren direct naast donkere kleuren zet dan lijkt de lichte kleur lichter te worden.
- Monochrome combinaties bestaan uit één kleurtoon met verschillende tinten ofwel gradaties van grijswaarde en verzadiging.
- Polychrome combinaties zijn alle combinaties met meerdere kleurtonen.
- Analoge combinaties bestaan uit een paar naast elkaar liggende kleurtonen (ton sur ton). Afhankelijk van de kleurencirkel en de uitgebreidheid ervan is deze combinatie verfijnd of grof.
- Complementaire contrasten (complementaire tweeklank) bestaan uit twee in de cirkel tegenover elkaar staande kleuren. Dit is het grootst denkbare kleurcontrast.
- Gesplitst complementaire combinaties (onregelmatige drieklank) bestaan uit drie kleuren waarvan in een complementair contrast aan een zijde de twee naastliggende kleuren worden gekozen.
- De evenwichtige drieklank of triade zijn kleurencombinaties met een groot contrast. De kleuren liggen op gelijke afstand in de cirkel.
- De evenwichtige vierklank bestaat uit twee paar complementaire kleuren die haaks op elkaar in de cirkel staan.
- De keuze van de kleurencirkel en de uitgebreidheid daarvan qua verdeling bepaalt de uiteindelijke fijnheid van de kleurencombinaties. Ook de verzadigingsgraad, de grijswaarde, en de hoeveelheid van de gebruikte kleuren bepalen mede het effect in de schikking.
- Er zijn nog veel meer combinatiemogelijkheden als hier worden genoemd. Het loont de moeite en is erg boeiend u eens te verdiepen in de verschillende aspecten van kleur.

Van eenvoudig naar apart

Eenvoud siert.
Eenvoud is kenmerk van het ware.
Eenvoud schept rust en harmonie.

Bekende uitspraken die tot het mooiste bloemwerk kunnen leiden. Eenvoud kan betekenen het werken in één kleur of slechts met enkele materialen. Ook kan het zijn het werken met een eenvoudige compositievorm.

Met eenvoudig wordt bedoeld: niet ingewikkeld, niet gecompliceerd. Het zijn schikkingen zonder overdaad, niet gekunsteld gemaakt en zonder onnodige weelde.

Een aparte of bijzondere schikking is in veel opzichten dus het tegenovergestelde van een eenvoudige schikking. Het gaat dan om: exclusieve, opvallende, ongewone schikkingen. Laten wij wel bedenken dat het tegenovergestelde van een eenvoudige schikking niets te maken heeft met beter, mooier en dergelijke toekenningen. Wat mensen mooi vinden is en blijft heel persoonlijk.

Aparte schikkingen kunnen bestaan uit een aantal exotische materialen of ze zijn heel bijzonder qua compositie. De kleurencombinatie kan opvallend zijn of er zijn aparte accessoires gebruikt. Vooral de compositiewijze, vaak gepaard gaande aan originele schik- of bindtechnieken, geeft een schikking meestal snel een apart uiterlijk. Creativiteit en durf kunnen leiden tot fraai eigentijds bloemwerk. Heel sterk is vaak het lijnenspel van een enkele eenvoudige tak, blad of bloem. Ook de ontstane 'lege' vorm (restvorm) tussen de lijnen van takken en het overige materiaal krijgt een fundamentele plaats in een schikking. Bloemschikken wordt dan een boeiend spel van lijnen, vormen en contravormen.

Eenvoudige decoratieve (geometrische) vormen, bekleed met een of meer materialen kunnen juist door de kracht van de beperking 'ijzersterk' worden. Naarmate wij meer soorten materiaal en zelfs attributen toevoegen, wordt de vormgeving meer en meer gecompliceerd. Een goede methode om dan toch weer voldoende rust, harmonie en vormduidelijkheid te verkrijgen, is het 'sterk groeperen' van het materiaal.

Door groepen van verschillend contrast (structuur, vorm, kleur) samen te stellen wordt het totaal van de compositie versterkt en veel duidelijker. Deze werkwijze is zeer populair in de moderne bloemsierkunst.

Een trend van de jaren '80 en begin '90 was juist het tegenovergestelde; er werd toen juist schijnbaar vrij chaotisch en rommelig geschikt. Onder andere de watervalstijl speelde hierin een hoofdrol. Deze schikwijze heeft, mits goed toegepast, een wel heel bijzondere charme (zie pagina 38).

Welke schikwijze men ook hanteert, vast staat dat een goede schikking vooral gekenmerkt wordt door: een gave vorm, herkenbaarheid, harmonieuze ordening, geraffineerd kleurgebruik en perfectie in techniek en afwerking.

Elegant samenspel van contrastrijke materialen.

De vaasvorm nodigt vaak uit tot een bepaalde schikwijze.

5 MATERIALEN-SCHIKKING

Met vijf groepjes van materiaal is in deze schikking een interessant en modern samenspel ontstaan. Groepering leidt hier duidelijk tot een sterke en rustige vormgeving. De verschillen tussen de vormen en kleuren veroorzaken grote contrasten. Als basis kan Oasis dienen maar de loodprikker is een goed alternatief. De wilgetakjes zijn van de bast ontdaan waardoor de fraaie witte kleur tevoorschijn kwam. U kunt dit het best in de lente doen want dan zit de bast los.

Verwerkt zijn o.a.:
Rosa 'Mercedes'
Salix matsudana 'Tortuosa'
Dracaena
Genista lydia
Mobach-vaasje

KRUISENDE LIJNEN

Kruisende lijnen zijn altijd verboden geweest in de bloemsierkunst. Pas met de komst van het moderne in de kunst, met het experimentele in de bloemsierkunst, werd deze starre regel gelukkig doorbroken. Dat is maar goed ook want het opent veel nieuwe creatieve bloemschikmogelijkheden.
De vaas waarin deze schikking is gemaakt is een eigen maaksel van hout, van binnen waterdicht gemaakt met Hermadix paracote. Aan de buitenkant is hij met verf nat-in-nat geverfd, wat een fraai kleurpatroon als gevolg heeft.
Oasis dient als basis en dit kan eventueel nog met gaas worden verstevigd. Het tule is op decoratieve wijze met sate stokjes tot een grillige vorm gemaakt.

Verwerkt zijn o.a.:
Anthurium 'koraal'
Allium sphaerocephalon
Dianthus barbatus
Calathea lancifolia
Leucobryum glaucum
Aspidistra elatior
tule

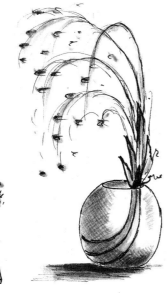

De gebogen vorm van het vaasje wordt versterkt door de schikwijze.

Het volgen van de structuur of decoratie van de ondergrond biedt soms leuke schikideeën.

Schikwijze met sterk gegroepeerde bundels. Gebruik voor de bindsels eens fel gekleurd materiaal.

Experimentele vormgeving met sierlijke lijnen. Als techniek of decoratief toegepast is het gebruik van al dan niet gekleurde stokjes opvallend. Kleine gekleurde bolletjes aan de uiteinden maken het geheel nog aparter.

HANDGEBONDEN BOEKET

Door groepering enerzijds en door het gebruik van leuke decoratieve attributen anderzijds kunnen wij ook een handgebonden boeket een eigentijds karakter geven.

Belangrijk is daarbij het verwerken van enkele speelse materialen en het breed houden van de basis, de horizontale onderlijn van het boeket. U kunt uitgaan van een symmetrische- of van een a-symmetrische driehoek. Ook kunt u kiezen voor een éénzijdig- of voor een alzijdig gebonden boeket. Beide keuzes kunnen tot een fraai boeket leiden.

Verwerkt zijn o.a.:
Ixia
Rosa 'Veronica'
Asparagus umbellatus
Cordyline 'Kiwi'
Leucadendron
Erica perspicua
iriseefolie
Hedera
Restio sp.
wol
pauwveren

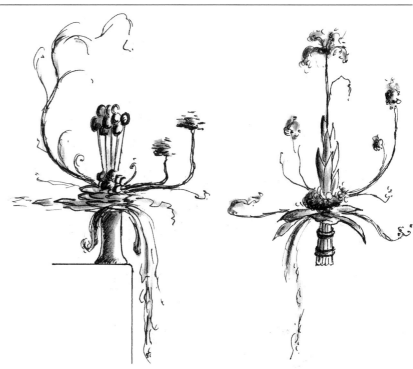

Gegroepeerd boeket met een sterke ruimtelijke werking.

Lineair handgebonden boeket waarin de materialen in het hart sterk zijn gegroepeerd.

TROPISCH TAFEREEL

Een gedroogd schutblad of ander deel van een tropische boom is een heel goede ondergrond voor een exotische schikking. In dit geval is er een soort verzonken landschapje van gecreëerd dat grotendeels binnen de ondergrond is gemaakt. Plastic of kleine schaaltjes kunnen hier als ondergrond voor de Oasis dienen.

Verwerkt zijn o.a.:
Asparagus densiflorus 'Meyers'
Euonymus japonicus
Helianthus annuus
Chamaecyparis
mos
palmblad

APART IS BETREKKELIJK

Hoe vrijer, hoe creatiever, hoe aparter ...
Dat zou van toepassing kunnen zijn op 'apart' schikken. Toch is deze stelling maar heel betrekkelijk. Het zijn vaak maar enkele nuances verschil die van een gewone schikking iets bijzonders maken. Hier zijn het meest opvallend: het groene folie, het koperdraad en de niveauverschillen in de schikking.
De ondergrond is een schitterend glas van glaskunstenaar Misha Ignis. Gevuld met steekschuim en water verandert wel het transparante karakter van het glas enigszins. Let er op dat u bij glas nooit met ijzerdraad werkt of dit in contact met het glas brengt; dit geeft onherstelbare schade.

Verwerkt zijn o.a.:
Gerbera jamesonii
Hedera
Aucuba japonica 'Variegata'
Amaranthus hypochondricacus 'Pygmy Viridis'
Cotoneaster
Symphoricarpos albus

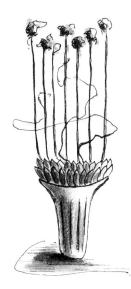

Parallel-lineaire compositie met een decoratieve basis van blaadjes. Het grillige takje doorbreekt het statische van de basisvorm.

Decoratieve schikking met lineair geplaatste bladvormen. In het midden een grote vrucht als de kalebas of meloen.

Decoratief bindsel met blad en touw van waaruit een bladfontein spuit.

Decoratieve schikvorm met vanuit het midden een exotische bloem als Heliconia.

ZANTEDESCHIA DECORATIEF GESCHIKT

Nieuwe soorten en kleuren maken *Zantedeschia* tot een bijzonder interessante bloem die veel opgang maakt. De sterke vorm en het persoonlijke karakter nodigen uit tot het creëren van andere schikwijzen. Hier zijn ze decoratief gebundeld met een touwbindsel. Uit de ontstane kelkvorm ontspringt een sierlijke fontein van bere-gras. De ondergrond is van kunststof en is bedekt met iriseefolie. Het hart van de schikking is decoratief in cirkels geschikt. Opstaand *Philodendron*-blad versterkt het verticale en ruimtelijke effect.

Verwerkt zijn o.a.:
Zantedeschia rehmanii
Allium sphaerocephalon
Philodendron 'Red Emerald'
Leucobryum glaucum (kussentjesmos)
Restio species (beregras)

Inlegtechnieken en -vormen

Bijzonder aardig en ook eenvoudig is de inlegtechniek, waarbij de materialen gewoonweg in een schaal of bak worden gelegd. Dit kan door de materialen eenvoudigweg los neer te leggen, maar het kan ook door deze geheel of gedeeltelijk vast te klemmen. Een combinatie hiervan ligt voor de hand.

Een kenmerk van deze schikwijze is dat meestal het arrangement vrij laag blijft en niet of nauwelijks boven de rand van de bak of schaal uitkomt. Drijfschalen horen ten dele ook in deze categorie thuis. Ook daar gaat het er vooral om materiaal gewoonweg neer te leggen, zij het dat dit hierbij op water gebeurt.

Inlegvormen en vooral drijfschalen zijn ideaal om snel even een leuke schikking te maken als er thuis bezoek komt, maar ook voor de bloemist liggen hier zeker mogelijkheden. Vooral de herfst met zijn bessen, gekleurde bladsoorten, mossen en dergelijke is een uitstekende periode om decoratieve landschapjes of structuurschikkingen samen te stellen. Maak eens composities met blaadjes, besjes, mosjes, houtstronkjes, stenen en dergelijke. Bedenk wel dat te veel verscheidenheid de schikking snel rommelig maakt. Beperking en groepering geeft meer rust en structuur.

Fraaie resultaten zijn ook te bereiken door combinaties van stenen, kleine plantjes en mossen. Een enkele wat verhoogde tak of houtstronk geeft hieraan nog een extra dimensie.

Bij inlegtechnieken zijn globaal twee mogelijkheden:

a Het droog in een schaal leggen; dus u geeft deze composities geen water. Niet alle materialen zijn hiervoor geschikt. Deze schikkingen geven een interessant drogings- en veranderingsproces te zien. Sommige materialen blijven wekenlang mooi.

b Composities met (teerdere) materialen die water nodig hebben. Deze zijn vaak subtieler van karakter en hebben een kortere levensduur. De sfeer die van levende materialen uitgaat overtreft echter al het andere.

Een lage schaal of dienblad is goed bruikbaar om even iets eenvoudigs op neer te leggen. Met een kaars erbij geeft het nog extra sfeer.

HERFSTSFEER

Op sfeervolle wijze zijn in een eenvoudige aardewerk schaal herfstmaterialen bijeengelegd. De kleur van de eenvoudige schaal harmonieert mooi met het karakter van de herfstmaterialen. U kunt dit soort schaalvullingen decoratief of vegetatief invullen al naar gelang het materiaal en uw eigen idee. Gewoon inleggen dus en verder alleen maar genieten.

Verwerkt zijn o.a:
Leucobryum glaucum
Hydrangea macrophylla
Cotoneaster
Fagus
houtstronk

LANDSCHAP

Een erg leuk werkje is het samenstellen van een landschapje. U kunt hiervoor een flinke bak of schaal gebruiken. Maar u kunt hiervoor ook een stuk plastic nemen en op tafel leggen. Hier maakt u dan uw landschapje op.
Het principe is eenvoudig want u legt alle materialen eenvoudigweg in de bak. Kleine plantjes, stenen, houtstronkjes, mos, grint, zand enzovoort. Het resultaat hangt af van welk soort landschap u wilt maken wat u daarvoor nodig heeft.

Verwerkt zijn o.a.:
Calluna
Sempervivum
Viola tricolor
Leucobryum glaucum
gras
houtstronk
boomschors
lavasteen
metalen bak

a en b Strakke patronen in ritmische verdelingen geven een inlegschikking een eigentijds effect, vooral als u dit met felle kleurcontrasten doet.

Vanuit ideeën en gedichten

Erder in dit boek is ingegaan op creativiteit en het vinden van ideeën om een originele bloemschikking te maken (zie pag. 16). Sommige mensen vinden van zichzelf dat zij nooit leuke ideeën kunnen bedenken of aanknopingspunten kunnen vinden die hen aanzetten tot het maken van een bepaalde schikking. Dit is beslist onterecht. Het komt vooral aan op een beetje basiskennis van reeds bestaande bloemschikstijlen; de wil om zichzelf enigszins te verdiepen in bepaalde achtergronden rondom een thema, een woord, een gedicht, een symbool en dergelijke. Enige materiaalkennis en de durf om de dingen eens anders te doen dan in het algemeen bekend is, is natuurlijk onmisbaar.

Ook de geschiedenis is een onuitputtelijk reservoir van mogelijkheden en is een geweldige inspiratiebron.

Een andere inspiratiebron is gebaseerd op het innerlijke gevoel. Door middel van een bewuste inspanning van onze wil en een diep inleven in de natuur wordt ons creatieve scheppingsproces gevoed. Het gaat vooral om de dingen uit onze verbeelding, onze bewogenheid, visioenen uit het alledaagse, het meegeven van een spirituele lading, het op laten gaan van het geometrische in het organische en het zoeken naar een samenhang van vormen en kleuren.

Bloemwerk mag gerust emoties oproepen en sensueel zijn.

Een idee verwezenlijken betekent dat een 'in onze geest levende' voorstelling van iets wordt uitgevoerd, wordt vormgegeven, als bloemstuk.

De denk- of zienswijze, het gevoel, een ontwerp dat wij hebben ontwikkeld, moet daarbij zo nauwkeurig mogelijk in de schikking herkenbaar zijn.

Hetzelfde geldt bij de uitbeelding van een gedicht, een verhaal, een rijm, een vers of zelfs bij een muziekcompositie.

De mogelijkheden om vanuit het genoemde tot creatieve bloemschikkingen te komen zijn onvoorstelbaar groot. Veel organisatoren van bloemschikwedstrijden maken hiervan dan ook dankbaar gebruik. Het is voor de deelnemers(sters) altijd weer een grote verrassing wat 'deze keer' het uitgangspunt wordt om de eigen creativiteit op te kunnen los laten. Het is steeds weer een interessante uitdaging.

Uitbeelding van bijvoorbeeld: beweging, dynamiek, naar binnen gekeerd.

Uitbeelding van bijvoorbeeld: contact, conversatie, aanraking, samen.

SUBTIELE BALANS

Deze schikking in twee prachtige glazen vazen van de Mischa Ignis heeft een sterke binding met de Japanse bloemsierkunst en dan met name met de Hana-Mai stijl van de Ohara school. Deze stijlschikking beoogt sierlijkheid en beweeglijkheid; het is alsof de bloemen dansen. Door de bloemtakken los in de vazen te plaatsen en subtiel tegen elkaar te laten rusten ontstaat de schijnbaar wankele balans. Het karakter van de schikking straalt de zomerse volheid uit. Echt iets om thuis te maken.

Verwerkt zijn o.a.:
Foeniculum vulgare (knolvenkel)
Helenium
Rosa
Pachisandra terminalis

DANSENDE BEWEGING

Gladiolen worden nogal eens gezien als een stijve bloem waar men niet veel mee kan. Met wat fantasie zijn ze echter zowel voor klassiek- als voor modern bloemwerk goed bruikbaar. In boeketten zijn vooral de kleinbloemige soorten erg fraai.

In dit statige arrangement is uitgegaan van het parallelle groeikarakter van de gladiool. Ze zijn daarom in een bundelvorm rechtop geplaatst.

Erg aardig is het effect is ontstaan door Typha-blad dat zich sierlijk rond de bundel bloemen beweegt. Dit kan bereikt worden door het blad strak rond een stokje op te rollen. U kunt dit effect ook met het eigen gladiolenblad bereiken maar vaak is dit net iets te kort. Het is het beste bij zo een eenvoudige compositievorm een fraaie ondergrond te kiezen.

De gedetailleerde afwerking met kussentjesmos en glazen knikkers versterkt het aparte effect. Als techniek kunt u kiezen voor de loodprikker of voor Oasis dat in gaas is verpakt.

Verwerkt zijn o.a.:
Gladiolus
Thypha
Leucobryum glaucum

Uitbeelding van bijvoorbeeld: ontmoeting, kracht, kus, bundeling, dansende beweging.

BUNJIN

De Japanse Oharaschool kent ondermeer 'image trend' schikkingen. Deze vinden hun basis in het menselijke sentiment en worden gekarakteriseerd door literaire gedachten. Gedichten en dergelijke vormen dan ook de inspiratie om Bunjin schikkingen te maken.
Er zijn twee vormen te onderscheiden:
A Rimpa
B Bunjin
Rimpa maakt geen gebruik van gecultiveerd materiaal; het is meer als het met de losse hand schilderen met bloemen. Deze stijl wordt hier niet verder besproken.
De Bunjin stijl is een vrije schikking die wordt geïnspireerd door een mooie tak, een gedicht of een gedachte.
Vaak wordt deze schikstijl samen met een kunstvoorwerp op een ondergrond (Dai) gepresenteerd. De schikking van de foto is een eenvoudige interpretatie van de Bunjin en geheel eigentijds uitgewerkt. Het metaal beoogt de spiegeling van een vijver. De materialen zijn op een loodprikker vastgezet.
Het arrangement is gebaseerd op een haiku (een 5-7-5 lettergrepig gedicht) van Bashö.

O oude vijver
Een kikvors springt van de kant
Geluid van water

GROENE ROMANTIEK

Groen is in veel opzichten al eeuwenlang een belangrijke kleur. Dit geldt niet alleen voor de verscheidenheid aan groene kleurnuances in de natuur zelf, maar ook een bloemstuk kan eigenlijk niet zonder de bindende en neutraliserende werking van het groen.
Groen is belangrijk symbool geworden voor een gezonde toekomst, voor hoop en vruchtbaarheid. Heel boeiend is het maken van een schikking van enkel groene materialen, blad,

vruchten, bessen en dergelijke. Dit kan natuurlijk in elke schikstijl. Hier is gekozen voor de rustige harmonieuze bolvorm. Probeert u eens een schikking van enkel groenen, u zult versteld staan over de verscheidenheid aan beschikbaar materiaal en aan de fraaie kleurnuances. Als ondergrond dient een mand. Leg daarin driedubbel plastic en Oasis, of zet er een plastic pot in. Zet de hoofdlijnen op en vul de vorm symmetrisch in met de subtiele groenen.

Verwerkt zijn o.a.:
Pinus mugo subsp. mugo
Skimmia japonica
Chamaecyparis lawsoniana 'Plumosa Aurea'
Cham. laws. 'Stewartii'
Cham. laws. 'Alumii'
Taxus baccata 'Fastigiata'
Pieris japonica
Hedera
Prunus laurocerasus
Buxus sempervirens
Elaeagnus xebbingei
Leucothoe fontanesiana 'Rainbow'

Verwerkt zijn o.a.:
Iris hollandica
Gaultheria salal 'Rainbow'

Uitbeelding van bijvoorbeeld: beweging, lijnenspel, omhoogstreven.

Uitbeelding van bijvoorbeeld: parallel opgaan, contrast tussen massa en lijn.

Uitbeelding van bijvoorbeeld: ritme, parallel, etages.

Eigentijds klassiek

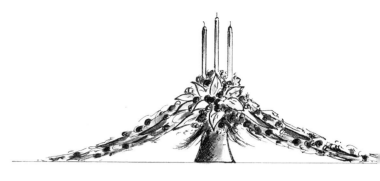

Het zou onjuist zijn in dit boek over 'eigentijds' bloemschikken het klassieke werk niet te bespreken.

Eigentijds betekent 'het behoren tot deze (onze) tijd'. Met klassiek wordt in het algemeen dat bedoeld wat tot de oudheid behoort. Klassiek bloemwerk is dus vooral gebaseerd op oude traditionele bloemschikprincipes en -vormen. Hiertoe behoren o.a.: de guirlande, de festoen, de lauwerkrans, maar ook de eenzijdige driehoekschikking, de biedermeiervormen en dergelijke.

Ook het ouderwetse bloemwerk van de laat-19e eeuw en dat van begin -20e eeuw wordt wel als klassiek beschouwd.

Modern is in tegenstelling hiermee het tot onze tijd behorende, het eigentijdse, het nieuwerwetse. Wij bedoelen hier vooral het werk dat een modern karakter heeft, echt nieuw is qua compositie en kleurbeeld. Voorbeelden zijn het abstracte en het experimentele.

Wij ontkomen er dus niet aan ook het klassieke bloemwerk, dat nog steeds veel wordt gemaakt, als een deel van onze moderne tijd te bezien. Het is in die zin dus eigentijds te noemen.

Bijna alles gaat in de regelmaat van golfbewegingen heen en weer. Zie wat gebeurt in de mode en de architectuur. Mode herhaalt zichzelf steeds in onderdelen en soms zelfs geheel. In de architectuur zien wij ook een steeds weer teruggrijpen naar eerdere bouwperioden, stijlen of delen daarvan. Vrij recent is hiervan een goed voorbeeld het Post-modernisme. Eerder zagen wij al de neo-stijlen in de Gotiek, de Renaissance, de Jugendstil etc. Ook worden vaak enkele klassieke details in een moderne vorm toegepast.

In de bloemsierkunst was (omstreeks 1990) als neostijl heel populair de watervalstijl; ook wel cascade genoemd. Deze stijl was vooral in de eerste helft van de 20e eeuw bij bruidswerk heel belangrijk. Wij mogen dit nu als trend herbeleven met een eigentijds klassiek karakter, maar vaak ook heel modern vertaald.

Het eenzijdige en het alzijdige ruimtevullende klassieke bloemwerk wordt ook nog steeds volop gemaakt. Het zou dus onjuist zijn dit niet ook als eigentijds te beschouwen. Eigentijds is al het werk wat nu wordt gemaakt, dit omvat dus vele schikvormen; ook het klassieke. Overigens, het 'eigentijdse' van vandaag is misschien het klassieke van morgen.

Romantische langwerpige compositie met kaarsen en afhangende bloemen of guirlandevormen.

Decoratieve compositie van blad, bloemen en vruchten, in bolvorm.

ROZENFEEST

Een groot eenzijdig klassiek geschikt decoratief showstuk van rozen trekt altijd de aandacht. Rozen in vele soorten spelen hier samen als een groot orkest waarbij toch elke soort zijn eigen toon kan zetten. Voor dit arrangement heeft u een grote pot nodig die u met Oasis vult. Versterk de Oasis met kippegaas en laat het geheel ca. 15 cm. boven de rand van de pot uitkomen. Dit vergemakkelijkt het horizontaal insteken van materiaal. Een vijftal steekbuizen op tonkinstokken gezet en op verschillende hoogten geplaatst geven u de mogelijkheid de bloemen hoger op te steken. U kunt dit soort schikkingen maken in vele combinaties van steeds maar één soort. Ook kunt u eens een gemengde kleurige combinatie maken die door de soort- en of kleurverscheidenheid een geheel eigen karakter en sfeer uitstraalt.

Verwerkt zijn o.a.:
Rosa
Polystichum (zwaardvaren)
Mahonia aquifolia
Hedera helix
Molucella laevis

BAROKKE CASCADE

Het is op de foto niet direct te zien maar dit zeer kostbare arrangement is toch 180 cm. hoog. De sfeer ervan straalt een fijne barokke overdaad uit die op moderne wijze in relatie met de cascadevorm is uitgewerkt. Als ondergrond dient een eigengemaakte vaasvorm. Hiertoe is een metalen constructie gelast en deze is met een lap stof bekleed. Bovenin is een grote schaal geplaatst met Oasis en daaromheen gaas. De schikking zelf is het beste te maken door eerst de hoofdvorm met blad op te zetten. Hierna worden rondom de vele bloemen keurig verdeeld ingestoken. Tot slot verwerkt u voor wat speelse effecten nog wat eigentijds decoratief materiaal.

Verwerkt zijn o.a.:

Limonium ferulaceum 'Karel de Groot'
Rosa 'Jacaranda'
Aster novi-belgii
Anthurium
Asparagus setaceus
Asparagus densiflorus 'Meyers'
Gladiolus Nanus
Liatris spicata
Matthiola incana
Amaranthus caudatus
Hydrangea macrophylla
Allium
Dendranthema 'Regalis' (*Chrysanthemum*)
Cytisus
Calathea lancifolia
Calathea makoyana
Eustoma grandiflorum
Cotoneaster
Trachelium caeruleum
Lilium 'Rosita'
Rubus fruticosus (bramen)

POST-MODERNISME

De monumentale stroming in de architectuur rond de jaren '80 het Post-Modernisme staat in nauwe relatie met dit arrangement. De monumentaliteit is op eenvoudige wijze bereikt door drie elementen:
- de glazen zuil
- de vaas
- de schikwijze

De paarsblauwe glazen vaas vormde het uitgangspunt voor deze schikking toen onverwacht de prachtige rozentak werd gevonden. Eén tak vormt de totale vorm van de schikking. Het afhangende karakter van Amaranthus caudatus is nodig om contact te zoeken met het glas en de leegte beneden. Enkele blauwe monnikskappen en chrysanten *(Dendranthema)* geven samen met het iriseefolie een apart effect aan de schikking.

Verwerkt zijn o.a.:
Rosa hugonis
Amaranthus caudatus
Aconitum napellus
Dendranthema (Chrysanthemum)

Barokke cascadevorm

Mandschikking met een eigentijds overdadig barokke schikking.

Op een hoge vaas of zuiltje zijn fraaie composities te maken met afhangende materialen.

Gewoon mooi

Het realiseren van een bloemstuk vanuit een bepaald thema, een gedachte, een klassieke of moderne stijl; de symmetrie of asymmetrie, enzovoort, is een uitstekende manier om een goede schikking te maken. Wij kunnen ons echter ook gewoon eens niets gelegen laten liggen aan 'welke regels, welke stijl of techniek dan ook'.

Geleid door het moment, de materialen, de ondergrond, de omgeving, maar vooral door ons 'natuurlijke' gevoel voor vorm, kleur en schoonheid, zijn wij in staat de allermooiste bloemschikkingen te maken.

Nu is het begrip 'mooi' zeer relatief, want wat de een mooi vind vindt de ander soms lelijk. Het is ook tijdgebonden en sterk aan mode onderhevig.

Een vrij algemene norm voor mooi is deze: met veel zorg geschikt, bevallig, schoon, aantrekkelijk. Mooi heeft ook alles te maken met de goede kanten van het leven. Een positieve aandacht voor schoonheid van de natuur en alles om ons heen heeft diepe invloed op onze persoonlijkheid; natuurlijk is niet alles mooi en gelukkig hoeft u niet alles mooi te vinden wat anderen mooi vinden. Een mooie bloemschikking behaagt de toeschouwer door een uitstraling van rijkdom, welgevalligheid, kleur, vorm, de keuze en combinatie van de materialen. Het doet dan naar ons gevoel esthetisch aangenaam aan.

Denken wij hierover na dan kunnen wij wellicht concluderen dat in principe elke bloemschikking op zijn eigen manier mooi kan zijn.

Het is dus niet per se nodig de schikking te baseren op een bepaald thema, een idee, een bedoeling of stijlvorm. Dus 'gewoon mooi' is een goed uitgangspunt voor een bloemschikking.

Romantische schikking in een roodstenen pot, samen met draperieeën een sfeervol geheel.

Ovaal- of ellipsvormen kunnen leiden tot fraai, smaakvol bloemwerk.

ROMANTISCHE MANDSCHIKKING

Dit overvloedige arrangement heeft alleen maar de pretentie mooi te zijn. Relaties zijn heel duidelijk aanwezig met schikvormen zoals de traditionele klassieke driehoeksvorm en met de eigentijdse cascadestijl. Het ligt hier ergens tussenin. Door schikstijlen te combineren zijn veel nieuwe variaties te bedenken. Populair is thans ook het schikken van vele kleine materialen tegenover het contrast van enkele grote vormen. Door de grote vormen als zwaartepunt in het hart te plaatsen ontstaat gemakkelijk een evenwichtig effect. Doe in de mand drie lagen plasticfolie of een plastic pot. Neem een flink stuk Oasis en verstevig dit met gaas. Zet nu eerst de buitenste vorm, de contouren, van de schikking op. Geleidelijk vult u daarna de schikking verder in. U zult zien dat de vorm ondanks de drukte toch een fraaie eenheid wordt. Enkele diepgeplaatste materialen, bij voorkeur donkerkleurige, geven een extra ruimtelijk effect en voorkomen plompheid.

Verwerkt zijn o.a.:
Centaurea
Rosa 'Tineke'
Vaccaria hispanica (Saponaria)
Dianthus barbatus
Gerbera 'Sabine'
Ixia
Delphinium
Iris hollandica
Eustoma grandiflorum
Paeonia lactiflora
Cirsium japonicum
Nephrolepis
Asparagus umbellatus
Asparagus setaceus
Ruscus hypophyllum
Brassica
Restio sp.

RUST EN BEWEGING

Erg aardig is het eens een samenspel te zoeken tussen de bloemschikking en bijvoorbeeld een beeldhouwwerk. In deze schikking is dat gedaan door de tegengestelden van rust en beweging op een dynamische manier met elkaar in discussie te brengen. De bloemen kunt u het beste los in de vaas schikken; tenminste bij het soort grote bolle vazen zoals hier gebruikt. Een bolletje van kippegaas in de vaashals helpt desgewenst mee de vorm meer onder controle te houden tijdens het schikken maar pas op voor beschadigingen aan de vaas. Als hulpmiddel kunt u het gaas met een of twee stokjes tijdelijk vastzetten zodat het niet in de vaas zakt.

Verwerkt zijn o.a.:
Antieke vaas van ceramiek
Gypsophila paniculata
Dendranthema 'Rivalry'
Strelitzia reginae
Monstera deliciosa
kunstwerk van brons 'de danser' van
Jeanne van Tol

Watervalstijl

De watervalstijl of cascade is een vorm van bloemsierkunst die vanaf het begin van de 20e eeuw al tot ontwikkeling is gekomen. Vooral bruidsboeketten werden veel in deze stijl gemaakt.

Cascade betekent 'kleine waterval'. Dit houdt in dat de vormgeving sterk neergaand moet zijn. Vallen en omlaagvloeien geeft precies aan waar het bij de cascadestijl om gaat. Watervalstijl is dus precies een goed woord voor deze interessante schikvorm.

Nodig is het bezit van een hoge zuil, een piëdestal of een ander voorwerp van enige hoogte. Vanaf een hoog punt kan de watervalvorm zich dan vrijelijk naar beneden laten vallen; hetgeen een fascinerend effect kan hebben.

Sinds ca. 1985 is deze schikstijl weer populairder geworden en dit heeft geleid tot een echte neo-cascade trend.

De techniek vereist wat extra aandacht. Zorg ervoor dat als u met steekschuim werkt dit, afhankelijk van de schikking, vrij hoog boven de ondergrond uitsteekt. Ter versteviging verpakt u het steekschuim met gaas. Let erop dat de bloemstelen niet dwars door het steekschuim worden gestoken en er aan de andere kant weer uitkomen.

Naar beneden gebogen stelen geven de beste bevestiging (zie tekening); vooral bij kleinere schikkingen.

De watervalstijl kan heel subtiel worden gemaakt met slechts enkele ranken maar het mag ook heel overdadig barok zijn.

Een watervalschikking is niet alleen een goede schikvorm voor bloemstukken, maar is dit zeker ook voor handgebonden boeketten en voor bruidswerk.

Boeket of schikking in een speelse vaas.

Cascadeschikking met klemtechnieken gemaakt.

OVERDADIGE WATERVAL

Duidelijk komt in dit arrangement het overdadige barokke karakter naar voren. Overvloedig stromen de materialen als in een echte waterval naar beneden. Het vallende effect wordt daarbij nog versterkt door de wollen draadjes die zich, in en over de compositie heen, neergaand bewegen. Zacht lila rozen en tere crème tinten geven de schikking een verfijnd kleurkarakter. Voor een goede verwerking van de materialen is het van belang dat de Oasis flink groot is en met Sphagnum of met gaas wordt verstevigd. Let er ook op bij het insteken dat de stelen niet door de Oasis heen worden gestoken. Dit leidt tot slappe bloemen en blad.

Verwerkt zijn o.a.:
Vaccaria hispanica (Saponaria)
Syringa vulgaris
Dianthus caryophyllus
Rosa
Limonium ferulaceum 'Karel de Groot'
Phlox paniculata
Alchemilla mollis
Restio sp.
Ruscus hypophyllum
Berberis thunbergii 'Atropurpurea'
Mobach-vaas

FALLING WATER

In een compositie van fijne blauw-rose kleurnuances stort zich de waterval naar beneden. De schikking is er een van barokke overvloed en kent een grote verscheidenheid aan materiaalsoorten. Dit maakt het kijkgenot echter des te intenser. De eigengemaakte ondergrond is organisch van vorm en sluit mooi aan bij de schikwijze.

Verwerkt zijn o.a.:
Iris
Limonium ferulaceum 'Karel de Groot'
Limonium 'Saint Pierre'
Triteleia
Campanula
Trachelium caeruleum
Aster novi-belgii 'Bleu Butterfly'
Dianthus caryophyllus
Freesia
Dendranthema (Chrysanthemum)
Gerbera jamesonii
Veronica blaurisin
Dianthus barbatus
Consolida ambigua (Delphinium ajacis)
Eustoma grandiflorum
Asparagus setaceus
Asparagus densiflorus 'Meyers'
Aspidistra elatior
Nephrolepis
Anthurium-blad
Leucobryum glaucum
Restio sp.
decoratieve materialen

Barokke cascadevorm.

MEMPHIS INVLOEDEN

Deze monumentale compositie van wel 280 cm hoog valt niet alleen op door het geweldige formaat. Veel meer nog doet dit de eigengemaakte bijzondere ondergrond welke is gebaseerd op de Memphisstijl uit de jaren '80.
Kenmerkend waren hierbij de afwijkende vormen en het originele en gedurfde kleurgebruik. De bloementoef bestaat uit een grote variatie aan bloem- en bladsoorten. Vooral ook veel exotische materialen zijn gebruikt. Het verwerken van decoratief materiaal zoals: veren, woldraad en Dekofaser kenmerken het eigentijdse effect. Als basis dient een grote schaal waarin een groot blok Oasis met gaas versterkt. Het schilderij op de achtergrond is van Tineke van Dien: Aerobic, spattechniek 1987.

Verwerkt zijn o.a.:
Berzelia
Erica
Heliconia rostrata
Anigosanthos flavidus
Lilium
Protea
Leucospermum nutans
Tillandsia usneoides
Cotoneaster
Chamaecyparis
Rosa
Fagus
Asparagus setaceus
Asparagus densiflorus 'Meyers'
Pinus
Zantedeschia elliottiana
Tillandsia usneoides
Salix xsepulcralis 'Tristis'
Hedera
Anthurium andreanum
Philodendron
Ruscus hypophyllum
kunststof appel
touw
Dekofaser
wol
struisvogelveren
plumeau

STRAK-SPEELS

In tegenstelling met de watervalschikkingen op de voorgaande foto's is het effect hierbij geheel anders.
Dit komt doordat een strakke ondergrondvorm, het metalen tafeltje, als dragend element fungeert. In contrast hiermee staan de speelse gebogen lijnen van beregras en het subtiele bloemenspel waarin veel kleine vormpjes het opnemen tegen grotere vormen en tegen de krachtige ondergrond.
Rode woldraadjes versterken het watervaleffect en geven een leuk kleurcontrast. Als decoratief materiaal is nog toegevoegd: geverfde stokjes, spiegeltjes en koperwol.

Verwerkt zijn o.a.:
Metalen bak
Rosa 'Frisco'
Aster chinensis
Amaranthus caudatus
Rudbeckia nitida
Gloriosa virescens 'Rothschildiana'
Dendranthema 'Statesman'
(Chrysanthemum)
Solidago x luteus
Lilium longiflorum
Kniphofia
Craspedia globosa
Strelitzia reginae
Hedera
Salix x sepulcralis 'Tristis'
Arachniodes adiantiformis
Leucobryum glaucum
Taxus baccata
Aspidistra elatior
Restio sp.
glasbollen

Abstracte compositie met cascade-effecten.

Kerstsfeer

De periode rondom Kerstmis is ongetwijfeld de meest belangrijke van het hele bloemschikjaar. De kerstgedachte inspireert een ieder die bloemschikt tot het maken van fraaie schikkingen en het versieren van het huis. Dit wordt nog in de hand gewerkt door de overvloed aan allerhande gewone en bijzondere materialen. Prachtige coniferensoorten, spar-appels, kegels, mossen en vele decoratieve bijmaterialen maken dat de aparte kerstsfeer gemakkelijk in een bloemschikking tot uitdrukking kan worden gebracht. De geest van de tijd, moderne architectuur, het interieur en zeker ook een modern eigentijds kleurenbeeld, nodigen ons uit tot het maken van eigentijdse kerstcreaties.

Misschien komt het karakter van een moderne bloemschikking juist in deze periode van het jaar heel mooi tot zijn recht.

Dit vooral omdat er zoveel vrij traditioneel bloemwerk wordt gemaakt en er helaas ook veel kitsch wordt verwerkt.

Gewone materialen die dagelijks voorhanden zijn leiden in samenspel met coniferensoorten, rendiermos en kaarsen tot de fraaiste composities.

Met 'gewone' materialen bedoel ik onder andere: stenen, metaaldraad, gaas, folie en dergelijke. Begin de kerstperiode eens met het maken van een adventschikking, een krans of tafelstuk. Hou dit vanwege het adventskarakter heel rustig. De kern van Advent is: bezinning, overpeinzing en voorbereiding op de komst van Christus. Het kerstfeest zelf verdraagt daarentegen vrijwel elke vorm van bloemsierkunst; van heel rustig 'natuurlijk' tot kleurrijk en feestelijk. Het hangt van uw interieur en uw eigen smaak af wat het eindresultaat zal zijn.

EXPERIMENT

Nogal afwijkend van de traditionele vormgeving is dit aparte kerstarrangement. Centraal zijn hier de bamboestengel en de fraaie Mobach-vaas. Ongebruikelijk is de toef geplaatst op 1/3 deel van boven aan de bamboestengel. Hiertoe is een stevige mosbal rondom de bamboestengel bevestigd.

Hierna zijn het conifeer en de overige materialen ingestoken. In de vaas is Oasis-Sec steekschuim gedaan en is de bamboestengel ingestoken. Om deze extra stevig te bevestigen zijn tonkinstokjes daarna kruiselings in de vaas gestoken. Decoratief is de verwerking van koperdraad, de ingebonden kaarsen en de afwerking op de vaashals.

Verwerkt zijn o.a.:
Bambusa
Chamaecyparis obtusa 'Nana Gracilis'
Cham. obtusa
Cladonia stellaris (rendiermos)
Spaghnum
sheetmoss (Indian Moss)
murrie-kegels
Molca-kaarsen

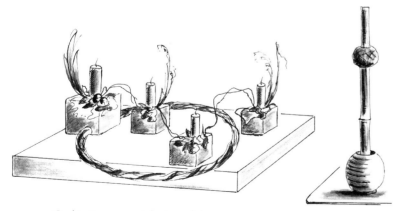

Combinatievorm van vierkanten en de kransvorm. Een idee voor een adventschikking.

Ondergrond met bamboestok en mosbal.

ADVENT

Vanuit de fraaie Mobach-bak, waarin een vrij abstract landschap is gecreëerd, rijzen statig de vier adventkaarsen op. Zij symboliseren de vier adventweken. In stemmige kleuren, zonder saai te worden, zijn ritmische rijtjes materiaal kort ingestoken. Om een vervreemdend effect te bereiken is gaasdoek en aluminiumdraad toegevoegd. De bak is geheel volgelegd met Oasis waardoor het gemakkelijk is van de materialen rechte rijtjes te maken.

Verwerkt zijn o.a.:
Taxus baccata
Hydrangea macrophylla
Leucobryum glaucum
Cladonia stellaris (rendiermos)
bevloeiingsmat
steentjes
iriseefolie
Sae-ill-kaarsen

OPGAANDE KRACHT EN EVENWICHT

De kracht van de opgaande lijn vinden wij bijvoorbeeld ook terug in een gotische kerk. Omhoogstrevende vormen die elkaar in de top vinden en daar zijn samengebonden. Mooi in contrast hiermee zijn de horizontale, iets gebogen, lijnen, het felle rood van de bolkaarsen en het rode koord. De schikking is gemaakt op een eenvoudig zwart gemaakt houten balkje. Hierop zijn een paar spijkers geslagen en is klei bevestigd. De klei is tegen uitdrogen en voor extra stevigheid in dun plastic ingepakt.

Verwerkt zijn o.a.:
Mitsumata-takken
Cedrus atlantica 'Glauca'
Chamaecyparis obtusa 'Nana Gracilis'
Molca-kaarsen

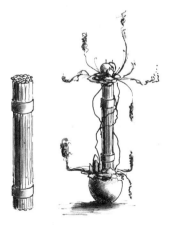

Variatie op de schikking van foto linksboven.. Als kern een bundel bamboestokjes met bindsels of metaalstrip eromheen.

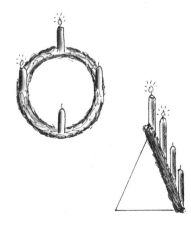

Idee voor een staande adventkrans.

Spel met lijnen

En lijn is in een bloemschikking soms een zeer belangrijk vorm-gevend element. De sierlijke of strakke lijn bepaalt grotendeels het karakter, de vorm en het effect van een schikking; vooral daar waar het gaat om de lineaire schikvormen. Een lijn kan enkel zijn, we noemen deze dan solitair of kan in samenspel met meerdere lijnen een groep vormen. Lijnen kunnen subtiel zijn en een ruimte-lijke werking oproepen. Maar lijnen kunnen ook zwaar zijn en daar-door massa uitbeelden.

Ook in decoratieve vlakken of vormen kan een lijnenpatroon aan-wezig zijn zoals bijvoorbeeld de spiraalvormige lijn in een kegelschik-king of de cirkels in een biedermeier arrangement.

Lijnen kunnen parallel aan elkaar zijn (evenwijdig); zij kunnen diver-geren (uiteenlopen) of convergeren (naar elkaar toelopen).

Een lijn is meestal ruimtelijk en bepaalt daarmee vaak een vorm en dus ook gelijktijdig een contravorm (restvorm), bijvoorbeeld een tak van de kurketrekker hazelaar, *Corylus avellana* 'Contorta'.

Combinaties van lijn (open vorm) en massa (gesloten vorm) geven soms juist door het contrast heel interessante resultaten.

Lijn speelt in de meeste schikkingen dus een zeer voorname rol. Het verschil in eindresultaat zal heel groot zijn als wij bijvoorbeeld de keuze maken tussen:
- sierlijke elegante lijnen
- rechte strakke lijnen
- kruisende lijnen

Dan kunnen wij nog bezien wat wij met de lijnen doen qua plaat-sing zoals in verticale richting, in diagonale richting en in horizon-tale richting.

Het combineren van lijnrichtingen en/of het combineren van schik-principes geeft weer veel leuke andere mogelijkheden. Om er enkele te noemen:
- lineair-parallel; waarbij het evenwijdige karakter overheerst
- parallel; met meerdere evenwijdige lijnen
- vegetatief-lineair; waarbij het natuurlijke overheerst
- decoratief-lineair; waarbij het decoratieve, het gekunstelde over-heerst
- abstract-lineair; met een rechtlijnig of hoekig karakter
- L-vormen; waarbij de letter L als uitgangspunt dient
- T-vormen; met de omgekeerde letter T als uitgangspunt
- Hogarthlijn; met als uitgangspunt de letter S
- halve maanlijn; gebaseerd op een halve tot driekwart cirkelvorm
- cirkelvormen; met verschillende cirkeldelen als uitgangspunt
- Een belangrijk gegeven bij het spel met lijnen is het zoeken naar spanning, contrast, beweging, elegance en ruimte. Ga eens zelf voor een grote spiegel staan en maak met het eigen lichaam allerlei sierlijke bewegingen. Het zal u meer gevoel geven voor het begrip lijn en beweging.

Ook allerlei kunstuitingen, de calligrafie (schoonschrift) en derge-lijke zijn zeer de moeite waard om iets van te weten.

Zeker de kunstperiode de Jugendstil (Art Nouveau) (ca. 1890 -1920) leert ons dat met lijn heel veel boeiends mogelijk is in bloemwerk.

VEGETATIEF-LINEAIR

Heel veel verschillende materia-len zijn samengebracht in het ruige lijnenspel van deze schik-king.

Visueel komt alles echter toch uit één centraal punt. De schik-king is in een lage ronde Ecri-schaal gemaakt, die geheel is gevuld met Oasis, waar gaas overheen is gedaan voor extra steun. De lijnen springen alle kanten heen en zijn daarbij ruimtescheppend. In het cen-trum daarentegen is er massali-teit door een vrij gesloten compacte schikwijze. Belangrijk is dat wij de open ruimte niet in vullen met materiaal omdat anders het lijnenspel en het open karakter verdwijnt.

Verwerkt zijn o.a.:
Allium
Lilium longiflorum
Salix caprea
Ruscus hypophyllum
Alnus glutinosus
Eucalyptus globulus
Mahonia
Kochia

Moderne compositie met lijn, ruimte en contrast.

SPEL MET HOEKIGE LIJNEN

De hoekige vorm met schuine vlakken van de vaas is in de lijn-voering van de schikking door-gevoerd. Om de contrasten tussen de lijnen en vormen nog te versterken is een sterk opgaan-de groep geplaatst van bladsten-gels. U ziet dat van elk materiaal maar heel weinig ge-bruikt wordt, wat de kracht van elk materiaal afzonderlijk ten goede komt.

Verwerkt zijn o.a.:
Iris
Helianthus annuus
Typha
Rosa

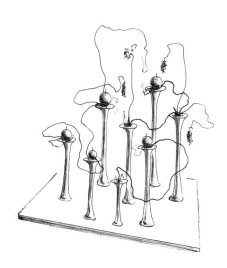

Groepering van vazen die in samenspel met het plantaardige materiaal elkaar weten te vinden.

METAALGLANS

Een metaalplaat is gebogen en van binnen van Oasis voorzien. Door de cilindervorm heen en door het open gat in het midden zijn de plantaardige materialen verwerkt. Met blad en speelse aluminiumdraden is het lijneffect nog versterkt.

Verwerkt zijn o.a.:
Rosa
Hydrangea macrophylla
Aster chinensis
Chamaecyparis
Asparagus umbellatus
Gentiana
Cordyline
plasticfolie

SUBTIEL LIJNEN-SPEL

Op geheel eigentijdse wijze toont deze subtiele schikking aan, dat met slechts enkele materialen al een heel aardig effect kan worden bereikt. Van bijna al de te verwerken materialen is er slechts één gebruikt. Door gebruik te maken van de kracht van elke vorm afzonderlijk en van de lege ruimte is het niet moeilijk tot een uitgebalanceerd en spannend geheel te komen. Toepassing van decoratieve materialen maken dat het eigentijdse effect nog wordt versterkt.

Verwerkt zijn o.a.:
Liatris spicata
Aspidistra elatior
Chamaecyparis
Galax urceolata
geverfde rozentak
iriseefolie
aluminiumdraad
Mobach-vaasje

Compositie van bollen, lijnen en ruimte.

Gevarieerde lineaire compositie met Anthurium en Zantedeschia.

Decoratieve vormen

Bij de decoratieve schikwijze gaan wij vooral uit van de sierende werking van de totale schikking. Decoratief houdt in dat het eigen karakter, de eigen identiteit van het verwerkte materiaal vaak geheel of gedeeltelijk ondergeschikt wordt gemaakt aan de totaliteit van de compositie.

Meestal werken wij ruimtevullend zoals bij de biedermeier het geval is of wij trachten tot een decoratief vormen- of lijnenspel te komen of een combinatie van beide.

Centraal staan bij het decoratief schikken: vorm, kleur en structuur. Meetkundige figuren zoals de bol, cilinder, kubus, cirkel en kegel worden vaak als basisvorm gebruikt en ondervinden een plantaardige toepassing.

Elke geometrische vorm en elke daarvan afgeleide vorm is een bruikbaar startpunt. De totaliteit van de schikking ofwel de 'Gestalt' dringt zich het meeste aan ons op. Daarna komen pas de details aan bod. Deze details bepalen overigens wel de eigenlijke essentie en het interessante van de compositie.

Het gaat daarbij om wat we doen en hoe we doen. Het is het geven van een persoonlijke en herkenbare eigen visie in het eindresultaat. Dat een zo goed mogelijke techniek daarbij altijd een onvoorwaardelijke eis is spreekt voor zichzelf, maar dat geldt natuurlijk voor elke schikking.

Veel kunnen wij leren van de natuur zelf. Eindeloos veel variaties van geometrische en organische vormen zijn te vinden in bloeiwijzen, vruchten, zaden, bladvormen, bloembollen, wortelstokken en dergelijke. Laat u hierdoor eens leiden en werk dit verder uit, in combinatie met uw eigen gevoel en creativiteit, tot interessante schikkingen.

Decoratief is een eindeloze en zeer interessante mogelijkheid om tot een veelheid aan bloemschikvariaties te komen. Dit kan zijn: symmetrisch-asymmetrisch, met lijnen, gesloten compacte vormen, traditioneel of eigentijds schikwerk enzovoort. De mogelijkheden die in het decoratieve liggen zijn feitelijk onbegrensd en uitermate boeiend.

Maak eens in een flinke schaal een combinatie van decoratieve en vegetatieve elementen. Door een overspanning met takken ontstaat een ruimtelijk effect.

Maak in een schaal een grote bolvormige Oasisvorm. Bewerk deze met decoratieve en vegetatieve elementen tot een spannend landschap.

EENVOUD VAN LELIETJES-VAN-DALEN

Gebundelde lelietjes-van-dalen zijn op decoratieve wijze in parallelle opstelling in het schaaltje geplaatst. Met dun wit gekleurd touw kunt u de lelietjes bijeenbinden. Maak een gaatje in het steekschuim zodat de bundeltjes gemakkelijk zijn te plaatsen. Kussentjesmos en steentjes dekken de bodem af terwijl wit Dekofaser en gegalvaniseerd metaaldraad nog voor een extra decoratief effect zorgen.

Verwerkt zijn o.a.:

Convallaria majalis
Hedera
Leucobryum glaucum
Kunststof schaaltje

SPANNINGS-VELD TUSSEN PRINCIPES

Schikkingen die door de vorm en de verwerkingswijze van de materialen een vragend spanningsveld opleveren boeien meestal langer. In dit arrangement is de basisvorm de kegel. Met glooiende spiraalvormige lijnen en structuren is de basisvorm bedekt met materiaal. Een spanningsveld tussen het vegetatieve en het decoratieve. Het maakt een wezenlijk verschil uit of de vorm compact wordt gelaten of dat er spontane lijnen uitkomen zoals hier is gebeurd. De ondergrond is een metalen schaal met een flink stuk Oasis met gaas erover.

Verwerkt zijn o.a.:
Dianthus caryophyllus 'Annelies', 'Pallas', 'Roma', 'Tanja', 'Reggio di sole',
Freesia 'Fantasie'
Limonium sinuatum
Prunus laurocerasus
Molucella laevis
Eucalyptus globulus
Pinus mugo subsp. *mugo*
Acer pseudoplatanus
Guzmania
Chamaecyparis obtusa 'Nana Gracilis'
Pathenocissus 'Quintifolia'
Juniperus chinensis 'Plumosa'
Asparagus umbellatus

Bergen zijn zeer geschikt om als uitgangspunt te dienen voor een bijzondere schikking.

Geometrische vorm met blaadjes en structuurvlakken bedekt. Als contrast een grillige tak.

Een houtstronk aan een zijde met klei bedekt en daarna decoratief en vegetatief bewerkt.

CONTRASTRIJK LANDSCHAP

In een grote metalen schaal van 70 cm doorsnede is een contrastrijk landschap ontstaan. Aan de ene zijde decoratief en aan de andere zijde vegetatief. Juist deze contrastrijke tegenstelling creëert een spannende sfeer. Aan beide helften is Oasis op pinholders geplaatst en met gaas bekleed. Links zijn daarna houtstronkjes neergelegd en is met kussentjesmos de basis afgewerkt.

Rechts is dakpansgewijze blad aangebracht. De verticale wand van de rechterhelft is tot een structuurvlak geworden van leisteen, mos, *Rudbeckia*-koppen en andere materialen.

Verwerkt zijn o.a.:
Pinus mugo subsp. mugo
Prunus laurocerasus
Hydrangea macrophylla
Rudbeckia nitida
Leucobryum glaucum
Aristolochia macrophylla
Hypericum

DECORATIEVE WAAIERVORM

Een waaiervormige compositie vormt het uitgangspunt voor dit decoratieve arrangement. De kleur- en materiaalkeuze is beperkt gehouden wat de eenheid in de schikking ten goede komt. Als basis dient een steekschuimvorm die in gaas is ingepakt. Deze basis staat klem in de speciaal ontworpen aluminium bak, die dezelfde vorm bezit. De vorm is bedekt met blad dat een voor een op draad is gezet en dakpansgewijze in het steekschuim is ingestoken. De boven- en zijkanten zijn met kussentjesmos bestoken.

Om de kaarsen te bevestigen zijn twee dikke ijzerdraden heet gemaakt en in de kaarsen gestoken.

Verwerkt zijn o.a.:
Thuja occidentalis
Leucobryum glaucum
Elaeagnus x ebbingei
Brunia laevis
Chamaecyparis pisifera
Cryptomeria japonica 'Cristata'
Perspex
aluminiumdraad
Molca-kaarsen

Decoratieve boomvorm met grappige afhangende bolletjes.

Contrast tussen decoratieve en lineaire elementen.

Geometrische vormen

Aansluitend aan het vorige hoofdstukje over decoratieve vormen denken wij hier samen nog even door over de geometrische vormen.
Zoals bekend zijn veel bloemschikstijlen gebaseerd op geometrische vormen, de biedermeier is hiervan wel het bekendste voorbeeld.
Overal wordt al eeuwenlang de geometrie gebruikt in de kunst en architectuur; in decoratieve sierkunsten; bij tuinaanleg en natuurlijk ook in de bloemsierkunst.
Heel oude bloemsierkunstige vormen zoals de guirlande, de festoen, de lauwerkrans, de rouwkrans, het ruikertje, de biedermeier en dergelijke vinden hun oorsprong in de geometrie. Zelfs in eigentijdse of misschien wel juist in eigentijdse creaties staat de geometrie weer hoog genoteerd.
Dit komt waarschijnlijk ook mede door de gemakkelijke herkenning van de vaak eenvoudige duidelijke geometrische vormen. Het is interessant in dit verband ook eens iets te lezen over de tuinarchitectuur door de eeuwen heen. Steeds blijken geometrische vormen de boventoon te voeren en vaak de basis van het ontwerp te zijn.
Enkele dwaalperioden voor zover wij daarvan mogen spreken zijn wel aan te wijzen bijvoorbeeld de Engelse landschappelijke tuinstijl en de natuurlijke wilde tuinen.
Planten of delen daarvan bezitten heel vaak opvallende geometrische of organische vormen. Deze natuurlijke voorbeelden zijn een rijke bron van inspiratie en het loont de moeite dit als basis voor het schikken aan te wenden.

De geometrie is ook een belangrijk onderdeel van de wiskunde. Het behandelt onder andere oppervlakken en lichamen. De belangrijkste, voor zover wij deze kunnen gebruiken in ons bloemwerk, worden hier toegelicht.
Oppervlakken zijn tweedimensionale figuren zoals:

- de rechthoek
- het vierkant
- de driehoek
- de cirkel
- het kruis
- de ruit

- de vijfhoek
- de Z-vorm
- de ellips
- de ster
- het hart
- de ovaal

Lichamen zijn driedimensionale vormen zoals:
- de kubus
- de ruitvorm met 6 gelijke delen
- de bol
- het regelmatige achtvlak (dubbelpiramide)
- het regelmatige twaalfvlak
- het regelmatige twintigvlak
- de piramide
- de trapezium
- de kegel

Samen met andere vormen, de vele afleidingen, overgangsvormen of metamorfosen hiervan leveren zij een fantastische hoeveelheid ideeën op voor geometrische schikkingen.

KEGELVORMEN

De puntig toelopende vorm van de kegel biedt vele interessante compositiemogelijkheden bij het bloemschikken. Verschillende standen alsmede de invulling door middel van uitsluitend de kegelvorm of door een contrast met speelse lijnen maken een groot verschil in het uiteindelijke resultaat. De hier gebruikte vaas van ontwerper Bert Pompe biedt op zich al verrassende mogelijkheden. De tekeningen geven een variatie aan schikmogelijkheden. Het arrangement is decoratief-lineair van karakter. Door de omgekeerde kegelvorm door te zetten en met blad te besteken wordt de vaasvorm nog versterkt. Het contrast met de speelse kardinaalsmuts maakt de statische basisvorm spannender.

Verwerkt zijn o.a.:
Euonymus europaeus
Hedera
Leucobryum glaucum
Chamaecyparis pisifera 'Plumosa'
iriseefolie
veren
vaasontwerp Bert Pompe

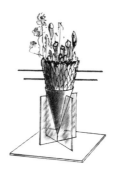

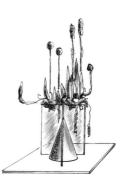

Creatieve variaties met een moderne Bert Pompe-vaas als uitgangspunt.

MASSA-LIJN

Tegenover de gesloten compacte bolvorm staat in dit arrangement de ruimtelijke werking van de lijn. Als wij deze twee elementen in een schikking samenbrengen ontstaat een stimulerend en contrastrijk effect. Er zijn contrasten tussen de structuren, de massieve bolvorm, de ruimte tussen de lijnen en de contravormen van lege ruimte. Samen gaan zij een interessante dialoog met elkaar aan.

Als basis neemt u Oasis dat met een paar pinholders in de schaal wordt bevestigd. Geef de Oasis alvast de bolvorm. Breng eerst de compacte structuren aan en dan de uitspringende lijnen.

Verwerkt zijn o.a.:

Dendranthema (Chrysanthemum)
Achillea filipendulina
Leucobryum glaucum
Salix matsudana 'Tortuosa'
Bergenia cordifolia
Hedera
Philodendron bipennifolium
Asparagus umbellatus
Sarracaenia flava
Molca-kaarsen

Van de geometrische vormen is de bolvorm het meest toegepast. In combinatie met houtstronken, bladbedekking en dergelijke zijn fantastische objecten te maken.

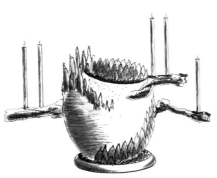

De bolvorm tot een futuristisch geheel verwerkt.

Boven op een hoge vaas gaat de bol zweven.

Creatieve variatie van de cirkelvorm op een met blad bedekte ondergrond.

CIRKELVORM

Elke schikvorm, elk geometrisch-decoratief uitgangspunt heeft zijn eigen kenmerken, aardigheden en moeilijkheden om mee vorm te geven. De cirkel is in al zijn variaties een uitdagende en dynamische vorm. Bij dit arrangement is gekozen voor een asymmetrische alzijdige vorm die met structuren van materiaal is bestoken. (Een alzijdige vorm heeft geen platte achterkant, zoals de eenzijdige schikking en is daardoor geschikt om midden in een ruimte te plaatsen.) Door de rondgaande lijn van de totaalvorm enigszins in de materiaalstructuren terug te laten komen wordt het effect van de cirkel nog versterkt. Het open laten van een deel van de cirkel geeft de compositie meer kracht en dynamiek. De communicatie tussen de delen wordt hierdoor alleen maar sterker.

De basis bestaat uit een metaaldraad welke door een lange Oasis-cilinder is gestoken. Hieromheen is gaas bevestigd voor steun en om de vorm te behouden. Als dit is gedaan kunt u de Oasis-vorm in de schaal vastzetten met pinholders en mos.

Verwerkt zijn o.a.:

Elaeagnus x ebbingei
Aspidistra elatior
Hedera
Papaver
Dianthus caryophyllus
Rudbeckia nitida
Buxus sempervirens
Zantedeschia rehmanii
Euphorbia myrsinites
Symphoricarpus albus var. laevigatus
Juniperus
Leucobryum glaucum
Cor Unum-ceramiek

Lineaire schikking met de cirkel als hoofdvorm.   *Spannende halve maanvorm met Anthurium.*   *Dubbele cirkelvorm waardoor een extra apart effect ontstaat.*

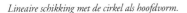

KLASSIEK X MODERN

Klassiek in dit arrangement is de oude gietijzeren tuinvaas. Klassiek is ook de met blad bestoken vorm die decoratief op de vaas is geplaatst. Oude meubels, trapleuningen e.d. hebben soms dezelfde druppelvorm als bekroning.

Door een decoratief-lineaire plaatsing van het blad en van Anthurium is het moderne effect bereikt. Kleine decoratieve toevoegingen zoals Hydrangea en Allium maken het geheel tot een moderne schikking.

Als basis is Oasis gebruikt dat met gaas is bekleed. Met behulp van tonkinstokjes is de druppelvorm op de vaas geplaatst. In de vaas wordt plastic gedaan ter voorkoming van lekkage; dit omdat een tuinvaas van onder een ontwateringat heeft.

Verwerkt zijn o.a.:
Elaeganus x ebbingei
Allium sphaerocephalon
Anthurium andreanum
Hydrangea macrophylla
Amaranthus caudatus
Dracaena marginata
Restio sp.
oude gietijzeren vaas

PARALLEL X DECORATIEF X VEGETATIEF

Zoals bij veel bloemschikkingen het geval is kan ook dit arrangement onder verschillende thema's of stijlen worden besproken. Het indelen van bloemwerk in hokjes (schikstijlen), is eigenlijk heel kunstmatig en zou niet moeten gebeuren. Praktische overwegingen maakt dit echter noodzakelijk. Beter zou zijn uit te gaan van de essentie van vorm, kleur en materiaal. Het moderne experimentele bloemwerk laat zich meestal niet zomaar ergens onderschuiven.

In dit arrangement zijn vooral te ontdekken: de cilinder vorm, het parallelle, het decoratieve en het vegetatieve. De schaal is volgelegd met steekschuim waar gaas overheen is gedaan. De lange en zware stelen maken dit noodzakelijk.

Verwerkt zijn o.a.:
Allium porrum (prei)
Rosa
Spiraea bumalda 'Anthony Watereri'
Leucobryum glaucum
tulpbollen

Cilindervorm plantaardig begroeid, met een kaars als hoogste punt.

Kegelvormen door ranken verbonden.

Ontwerp voor een bijzondere compositie, bruikbaar voor een tentoonstelling.

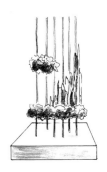

Geometrische vormen ineengesmolten tot een plantaardige compositie.

Thematisch schikken

Het bedenken en uitvoeren van een bloemschikking vanuit een bepaald thema is heel populair. Niet alleen bij bloemschikwedstrijden, tentoonstellingen en bloemencorso's bedient men zich vaak van een thema; ook bij examens, demonstraties, bij het schikken in kerken en gewoon tijdens een bloemschikcursus worden volop thema's bedacht en uitgewerkt.

Een thema is een onderwerp dat als uitgangspunt dient om een bloemschikking te maken.

Een thema kan zowel in een klein bloemstukje alsook in een enorme versiering goed tot uiting komen.

Het vergt soms wel heel wat denk- en zoekwerk om tot een bevredigende creatieve oplossing te komen, maar juist dat appelleert sterk aan onze creativiteit en maakt ons vindingrijk en inventief. Door het vaak te doen gaat het u tenslotte steeds gemakkelijker af.

Om u op weg te helpen werken wij hier een thema uit. Het is niet zo dat dit de enige methode is, maar het is een voorbeeld dat meehelpt (zie het hoofdstukje Spannen en klemmen).

Ook zult u merken dat het 'gouden' idee soms in een verloren ogenblik zomaar wordt gevonden, althans zo lijkt het. Het voorafgaande denk- en zoekwerk heeft er dan ongetwijfeld aan meegeholpen.

De eerst tip is om zoveel mogelijk te lezen over het thema. Raadpleeg een woordenboek, een encyclopedie, en andere bloemschikboeken; hierdoor zullen de meeste van uw vragen worden opgelost. Maak veel schetsjes, verzin materiaalcombinaties, denk aan een interessante kleurencombinatie, vergeet de symboliek niet, denk aan de ondergrond en ook aan een geschikte achtergrond, denk aan de techniek die het meest geschikt is voor uw ontwerp, enzovoort. Maak uiteindelijk uw keuze en werk deze heel netjes uit.

Diagonaal geschikt in een strakke futuristische compositie geeft de schikking direct een ander effect.

Horizontale vormgeving met de neiging naar de cascadevorm.

DYNAMISCHE GROEI

Groei is een van de krachtigste uitingen van dynamiek. Het woord houdt al in: het proces van in beweging zijn, van voortgang. Groei beeldt dat voortreffelijk uit.

De ondergrond voor deze schikking is een houten kistje waarin plastic wordt gelegd of met coating waterdicht wordt gemaakt. Als basis is een groot stuk Oasis gebruikt en met gaas versterkt. De houtstronk is met pokendraad, dat eventueel met bruine caoutchouc wordt omwikkeld om het minder zichtbaar te maken, vastgezet. Het beste kunt u eerst het vegetatieve hart van de schikking helemaal vol steken. Als laatste brengt u de lange parallelle groep aan.

Verwerkt zijn o.a.:
Prunus triloba
Liatris spicata
Anemone coronaria
Magnolia stellata
Viburnum opulus 'Roseum'
Hedera
Chamaecyparis lawsoniana 'Alumii'
Eucalyptus globulus
Allium
Ixia
Juniperus chinensis 'Plumosa'

Massaliteit in een spel van groepen en speelse ranken.

THEMA'S GENOEG

Omvatten, overhuiven, beslotenheid, doorkijk, beweging, en evenzovele andere thema's kunnen als uitgangspunt voor deze schikking dienen. Misschien kunnen wij wel stellen dat wij bijna altijd thematisch schikken! Een schikking zuiver en uitsluitend op één thema baseren kan wel maar bij analyse blijken veelal ook andere, vaak even boeiende, thema's te onderkennen. Als ondergrond dient hier een zelfgemaakte houten bak. Deze is met Hermadix paracote van binnen waterdicht gemaakt. De buitenzijde is nat-in-nat met de kwast geverfd, waarbij verschillende verfkleuren dooreen zijn gevloeid. Om een extra luxe effect te bereiken is een koperen rand op de bak aangebracht. In de bak is Oasis gelegd en met gaas bedekt.

verwerkt zijn o.a.:
Strelitzia reginae
Cucurbita pepo
Leucobryum glaucum
Rudbeckia
Leucospermum cuneiforme
Kniphofia
Rosa 'Frisco'
Chamaecyparis pisifera 'Plumosa'
Lonicera periclymenum

BEGROEIDE BERG

Groot en zwaar is dit arrangement zeker met een gewicht van 20 kg en een lengte van ca. 125 cm. De bedoeling was een vegetatief-lineair samenspel te vinden tussen een grote verscheidenheid aan materialen en vormen. Dit is gedaan vanuit het thema 'groei'.

De ondergrond is een eenvoudig houten kistje. Dit is met bijna een volle doos Oasis gevuld. Over de Oasis is gedeeltelijk gaas gedaan voor extra steun. Daarna zijn de hoofdlijnen in het verticale en horizontale vlak aangebracht. Van daar uit is een geleidelijk invulproces begonnen om de berg uiteindelijk tot een gevarieerde kijkeenheid te laten uitgroeien.

Verwerkt zijn o.a.:

Spathyphyllum
Zantedeschia aethiopica
Arum italicum
Acorus gramineus 'Argenteostriatus'
Monstera
Leucobryum glaucum
Hydrangea macrophylla
Euonymus
Papaver
Taxus baccata
Clematis
Erica
Viburnum davidii
Ornithogalum saundersiae
Cytisus
Allium sphaerocephalon
Sempervivum
Bergenia cordifolia
Mahonia aquifolium
Hedera

Compositie van een 'stapeling' van stammetjes of schors waartussen groen, bloemen en ranken komen.

Een boomschors of oude plank is een prima ondergrond voor een 'natuurlijk' arrangement.

Kegelvormig object in een alternatieve decoratieve opbouw en vlakken.

DYNAMIEK EN GROEI

Preibloemen in de knop hebben vaak de meest fantastische grillige vormen. Prei is groente en wordt niet als snijbloem aangevoerd. Er schiet van zelf gekweekte groente wel eens wat door en gaat bloeien. Voor de creatieve bloemschikker het moment er eens iets opvallends mee te doen. Misschien een idee om speciaal voor het bloemschikken groente te kweken en dit te laten doorgroeien (doorschieten); de mooiste bloemen zijn soms het resultaat. Juist het dynamische karakter en de kracht van beweging en groei die van de kromme stengels uitgaan maken ze heel interessant. In dit arrangement is uitgegaan van een mooie glazen pot van Misha Ignis. Oasis dient als basis en vandaaruit worstelt zich een verwarrend geheel naar boven. Een heel apart effect geven de twee stukken koraal waar de materialen doorheen groeien. Zorg ervoor glas niet in contact te brengen met ijzerdraad vanwege roest risico en beschadiging van het glas.

Verwerkt zijn o.a.:
Allium porrum (prei)
Solidago x luteus
Amaranthus hypochondriacus 'Pygmy Viridis'
Celosia cristata
koraal

Stelen in een glazen pot tussen glasknikkers ingeklemd in een parallelle compositie.

Experimentele compositie met als uitgangspunt ondersteunen en richting.

Spannen en klemmen

Spannen en klemmen kunnen wij als thema-uitbeelding benaderen maar ook als een speciale bloemschiktechniek. Beide komen steeds vaker voor in de moderne bloemsierkunst. Dit is wel te begrijpen want het sluit volledig aan op de ontwikkelingen in design, architectuur, interieurontwerp en vooral aan de drang tot het nieuwe eigentijds bloemschikken. Men wil weer eens wat anders; wie niet?

Als techniek is het spannen en klemmen vooral in Japan tot ontwikkeling gekomen met als resultaat een geheel andere vormgeving van de bloemschikking. Vanuit de klassieke kubari-technieken is onder andere door de Ichiyo-school sinds 1979 het spannen en klemmen ontstaan. Kubari's en andere steuntechnieken vervullen niet alleen een technische functie, maar kunnen ook als zelfstandige decoratieve vorm heel interessant zijn en aldus meespelen in de totaliteit van een schikking. Ze kunnen zelfs overheersend en vormbepalend zijn.

Ook in de moderne architectuur zien wij dat constructies: draagbalken, pilaren, en dergelijke, belangrijke vormelementen zijn geworden.

Bij de techniek van het spannen en klemmen gaat het erom de open ruimte van een mooie vaas, bak of schaal zo te laten. Takken vinden steun door zichzelf tegen de schaalrand te drukken door ze eerst te buigen. Steuntakjes helpen soms daarbij om een stevige constructie te bereiken. Het is niet zo dat er speciale regels voor deze techniek zijn. Veel meer is het een spel van creatief inspelen op de mogelijkheden van het materiaal.

Als thema-uitbeelding is spannen en klemmen zeker zo interessant. Wij kunnen dit zo ruim zien als u maar wilt. Om u op weg te helpen zoeken wij eerst eens in een woordenboek naar de woordverklaringen. Wij vinden dan:

Spannen:
strak zetten, iets strak uitzetten; bijv. een boog spannen door een tak te buigen.

Spanning:
de toestand van strak getrokken zijn; de handeling van het strak zetten of uitzetten van iets; de druk van een gas op de wand van een vat; de overbrugging van een afstand tussen twee punten bijv. met een boog (kromme tak) zoals bij een brug.

Andere woorden die u in dit verband kunt opzoeken zijn: gespannen, opspannen, aanspannen, klem, klemmen, inklemmen. Bij span- en klemtechnieken is oneindig veel mogelijk en dit kan leiden tot een volslagen andere manier van bloemschikken. Techniek en uitbeelding gaan hier hand in hand met uw eigen creatieve ideeën.

Brainstormen met het spannen door buigen en binden aan stenen als uitgangspunt.

Variatie met Zantedeschia en Allium.

Spanning doordat de bundel materiaal met touw wordt aangespannen.

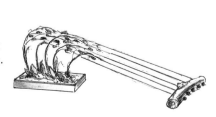

Spannen van materiaal door dit aan een liggende tak te bevestigen.

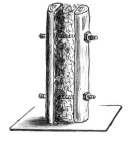

Boomstam door midden zagen en met bouten bevestigen. Er tussenin doen wij Oasis om het plantaardige materiaal in te steken.

SPANNING UITGEBEELD

Met maar heel weinig materiaal-variatie is in dit arrangement de maximale uitdrukkingskracht bereikt.

De bundel *Zantedeschia*-stelen zijn centraal bijeengebracht en vanuit één bindpunt aangespannen met twee draadjes die aan een steen zijn gebonden. Drie horizontale bladvormen van *Philodendron* geven een tegenaccent en voorkomen een te statisch effect.

De ondergrond is een Ecri-schaal met een voor deze schikking handige overhellende schaalrand. Onder deze rand zijn gemakkelijk materialen vast te klemmen. Als afwerking is kussentjesmos gebruikt.

Verwerkt zijn o.a.:
Zantedeschia elliottiana
Philodendron
Leucobryum glaucum

NERINEBOLLE-TJES

Nerine crispa is met decoratieve bindsels tot twee bolletjes van bloemen samengevoegd. Vanuit één centraal punt rijzen de twee bundels in een v-vorm omhoog. Het effect van spanning of van aanspannen is versterkt door het touwtje dat de twee bundeltjes verbindt door te verbinden naar een stuk oud glas. Dit stuk glas is een 17e eeuws restant uit een oude glasblazersoven. De glazen komvorm is gemaakt door Misha Ignis.
De hier gebruikte techniek is een combinatie van de loodprikker, binden en spannen.

Verwerkt zijn o.a.:
Nerine crispa
Chamaecyparis pisifera 'Boulevard'

EENVOUD SIERT

Subtiel vormgegeven siert dit kleine arrangementje vooral door de eenvoud van de vormgeving en de beperking van de materiaalkeuze. De techniek die hier is gebruikt noemen wij de spantechniek of ook wel klemtechniek. Eigenlijk ligt dit in elkaars verlengde. Enkele wilgetakken zijn onder de overhellende schaalrand vastgeklemd. De kandelaars worden eventueel met kleefstof of met lijm vastgeplakt. Vervolgens legt u goudfolie over de schaalbodem. Dan brengt u enkele groene conifeertakjes aan door deze vast te klemmen tussen de wilgetakken. Wat gouddraad en rode sterretjes strooit u als laatste over de schikking. Als u in deze schikking in plaats van drie, vier kaarshouders gebruikt dan is deze schikking ook bruikbaar als adventschikking.

Verwerkt zijn o.a.:
Salix matsudana 'Tortuosa'
Chamaecyparis obtusa 'Nana Gracilis'
Mobach-schaal
Sae-ill-kandelaars en kaarsen

Spannen en klemmen; let op de verbinding van de twee toeven. De bloementoeven kunnen op prikkers worden gemaakt maar ook tussen de takken worden ingeklemd.

Boogspanning door aan het einde van de stelen lemoenen o.i.d. te binden.

ROZEN, GOUDEN REGEN EN RHODODENDRON

Na eerst enkele kale buigzame takken in de schaal te hebben gespannen zijn daartussen de bloeiende takken van de bottel-roos en van *Rhododendron* ge-klemd. De lijn in de schikking is overheersend diagonaal. Om-dat veel bloemen zijn verwerkt is het effect overweldigend en bloemrijk.

Verwerkt zijn o.a.:
Rosa (parkroos)
Rhododendron
Laburnum watereri
Bergenia cordifolia
Mobach-schaal

Met een metalen ringvorm worden de mate-rialen omvat en ingeklemd.

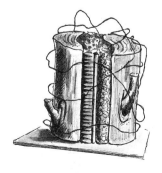

Gespleten boomstam met ertussen en erom-heen plantaardig materiaal.

Moderne compositie van gebundelde vormen gebaseerd op korenschoven uit het boerenveld.

Trends

Trends zijn nieuwe ontwikkelingen, nieuwe tendensen, die meestal slechts van vrij korte duur zijn. Een trend wordt vaak verward met een rage. Een rage komt echter meestal sneller op dan een trend, duurt kort en maakt weer plaats voor een nieuwe rage. Soms groeit een rage uit tot een trend. Als een trend lang blijft en veel navolgers krijgt, dan kan daaruit zelfs een blijvende bloemschikstijl ontstaan.

Trends en rages vinden wij overal om ons heen. Heel sterk komt dit in de mode tot uiting. Ook in de bloemsierkunst komen steeds meer trends voor.

Nadat tot de jaren vijftig in Nederland de bloemsierkunst vrij traditioneel was gebleven, begonnen onder invloed van de veranderingen in de maatschappij, in de kunst en cultuur, ook individuele bloemsierkunstenaars zich te roeren. Zij werden de eerste trendsetters en gaven de nieuwe tendensen aan. Het aantal trendsetters is sindsdien alleen maar toegenomen doordat steeds meer bloemschikkers zich met het experiment gingen bezig houden. De meesteropleiding bloemsierkunst draagt hieraan sterk bij.

Ook invloeden uit de Ikebana, de Japanse bloemsierkunst, werden steeds sterker. Het traditionele, vrij compacte, ruimtevullende, bloemwerk moest meer en meer terrein prijsgeven.

Nieuwe schikvormen werden geïntroduceerd en tot 'norm' verheven (een schikking is norm geworden als een trend een groot deel van het vak heeft veroverd).

Om er enkele van de afgelopen jaren te noemen:
- lineair schikken
- parallel schikken
- vegetatief schikken
- groeperen van materiaal
- toevoegen van accessoires
- het in één kleur schikken

Heel belangrijk in deze ontwikkelingen is uw keuze of u vanuit het decoratieve schikken of vanuit het vegetatieve schikken wilt starten. De eindresultaten zullen totaal van elkaar verschillen. Veel veranderingen zijn teweeggebracht door het experimenteren met vormen en schikmogelijkheden; met het combineren van uitgangspunten; het in een schikking verwerken van niet-plantaardige materialen; introductie van nieuwe technieken zoals: lijmen, spannen en klemmen, stapelen, groeperen en structuren maken. Dit heeft geleid tot vele rages en trends. Zeker ook de collages, assemblages, en de zogenaamde plantaardige of florale objecten hebben bijgedragen tot de vernieuwing in de bloemsierkunst en doen dit nog steeds.

Deze experimentele objecten vinden vaak directe aansluiting bij floraal werkende beeldende kunstenaars zoals: Pierre Hubert, Sjoerd Buisman, en Richard Long. De kunststroming 'Land-Art' heeft ook invloed op de bloemsierkunst. Door gemakkelijke internationale contacten op allerlei gebied komt de bloemsierkunst ook steeds meer in aanraking met gewoonten uit andere landen. Op deze wijze waaien trends gemakkelijk over van de ene plaats naar de andere, van het ene land naar het andere.

Welke trends en rages in de komende jaren zullen ontstaan is natuurlijk niet te voorspellen. Grappig is de plotseling opgedoken rage (eind 1990) waarbij droogmaterialen, als tarwe en grassen, tot korenschoofboeketjes werden gebonden en voorzien van een decoratieve papieren strik of lint.

omstreeks 1990 zien wij een verschuiving in het kleurgebruik. Na een lange periode van overwegend toon in toon combinaties (eenkleurigheid) zien wij weer kleurrijkere tot zelf fel contrasterende combinaties ontstaan.

Qua materiaalgebruik neemt de belangstelling toe voor bijzondere en exotische materialen, die een sterke vorm en expressie bezitten Om er enkele te noemen: *Anthurium, Zantedeschia, Nerine, Strelitzia, Spathiphyllum,* alsmede exoten zoals: *Protea, Anigosanthos, Nelumbo* en *Heliconia.*

Als bijmateriaal vallen op: veren, wollen draadjes, kralen, geverfde stokjes, metaaldraad, kunstwol, lint, touw.

Als bloemschiktechniek worden veel gebruikt: lijmen, bindsels, stapelingen, groepering, spannen en klemmen.

Qua vormgeving zien wij vooral de ontwikkeling van:

a Een nieuwe perfect curvi-lineaire stijl waarin bloemen centraal staan die een sterk eigen karakter en vorm hebben.

b De opkomst van 'natuurlijke' schikkingen onder de belangstelling voor een schoon milieu.

c De verdere ontwikkeling van de watervalstijl, dit als overdadige barokvorm en als subtiele vorm.

d Het integreren in bloemwerk van zeer oude klassieke vormen die modern worden toegepast. Neoclassicistische invloeden, elementen van bladstructuren, guirlandevormen en dergelijke.

Alles bijeen leven wij in een tijd waarin letterlijk alles lijkt te kunnen en is toegestaan. Deze creatieve vrijheid zal ongetwijfeld tot nog meer bloemschikplezier leiden.

Bundeling met bindsels en een geknikt boven-deel.

Op een zeer lange vaas komen uitstulpende en eroverhangende materialen.

ULTRA-LINEAIR

Onontkoombaar wordt een van de richtingen van het nieuwe bloemschikken weer uitdagend en zeer gestileerd. Perfectie en lineaire vormen zullen steeds belangrijker worden. Allerlei variaties naar decoratief, parallel en vegetatief zullen hun plaats opeisen. *Zantedeschia* valt op door het fraaie schutblad, de aparte vorm en een lange houdbaarheid. De creatieve schikmogelijkheden hiermee zijn vrijwel onbeperkt.

In dit arrangement is een Artdeco vaas gebruikt. De hele opzet is lineair-decoratief en zeer ruimtelijk. Decoratieve gekleurde bollen versterken het effect van de schikking.

Verwerkt zijn:
Zantedeschia 'Florida'
Anthurium andreanum
Aspidistra elatior
Rudbeckia nitida
Cocoloba (leverblad)
Elaeagnus
Phaseolus (snijbonen)
Nephelium (ramboetan)
folie

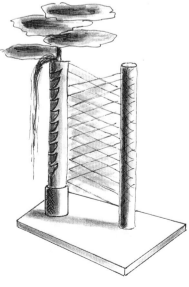

Idee voor een alternatieve span-vlechttechniek.

EXOTISCHE VERRASSING

Een opvallende manier van werken is het bundelen van takken in een vaas om daar een soort decoratieve tropische boom van te maken. Een bundel wilgetakken is rondom een cilinder van Oasis gebonden. Tussen de takken door is diverse materiaal als koraal, conifeer en elfenbankjes verwerkt, wat een aardig decoratief effect geeft.
Bovenop is een kruin gemaakt van takken van *Sequoiadendron* en glasbollen.

Verwerkt zijn o.a.:
Salix
Hydrangea macrophylla
Chamaecyparis obtusa 'Nana Gracilis'
elfenbankjes
Leucobryum glaucum
Sequoiadendron giganteum
Zaalberg-vaas

Idee voor een eenvoudige decoratieve vormgeving met seringen en een rondgestoken onderschikking.

BEKRANSTE BOLVORM

De bol blijft boeien, vooral als deze op een bijzondere wijze de basis vormt van een schikking. In dit geval is dit puur decoratief gedaan. De bol van Oasis-Sec is met lijm ingesmeerd en met een laagje zand bedekt. Daarna is hij op pinholders in de schaal bevestigd. Om de bol is met krammetjes van gebogen draad een soort lauwerkransje gemaakt welke zoals het hoort aan de voorzijde open is. Verder zijn alle materialen gewoon in de bol gestoken. In de kaarsen zijn gaatjes geboord waar dunne stokjes in zijn gestoken. Ze zijn dan eenvoudig te bevestigen.

Verwerkt zijn o.a.:
Elaeagnus x ebbingei
Leucobryum glaucum
Rosa multiflora
Pinus mugo subsp. *mugo*
elektriciteitsdraad
iriseefolie
parelketting

Bolvormig boeket met structuurgroepen en veel lint.

Kralenketting geeft een leuk effect.

Combinatie van twee bollen en ingeklemd materiaal.

EIGENTIJDS BAROKKE OVER-VLOED

Een opvallende bloemschikwijze van de periode rond 1990 is het verwerken van veel niet plantaardig decoratief materiaal. In vele vaak felle kleuren verkrijgbaar zijn bijvoorbeeld: veertjes, kunstwol, kralenketting, metaaldraad, folie, lint. Zelf kunt u ook stokjes verven en materiaal in de gewenste kleuren spuiten. Doe dit liever niet met bloemen.

De decoratieve materialen geven deze schikking een geheel ander uiterlijk. Ook het overdadig gebruik van groensoorten zoals *Asparagus* is verantwoordelijk voor het andere effect van de schikking. Deze schikking is door de overmaat aan materiaal en aan decoratieve toevoegsels geworden tot Barok in een eigentijds jasje.

Verwerkt zijn o.a.:
Anemone coronaria
Liatris spicata
Dendranthema
Iris
Freesia
Gerbera jamesonii
Asparagus setaceus
Asparagus virgatus
Arachniodes adiantiformis
Aspidistra elatior
Restio sp.
Elaeagnus x ebbingei
Chamaecyparis lawsoniana 'Plumosa'

Speelse decoratief-lineaire schikwijze, een trendschikking ontwikkeld door George Scharnig.

Het korenschoof gebonden boeketje van gedroogde materialen en met een strik, een trend van 1990.

Manden, droogbloemen vertikaal geschikt en lint, vormen een romantische trend van 1990.

Abstracte schoonheid

Sinds het einde van de 19e eeuw kunstenaars steeds meer begonnen hun kunst persoonlijk te maken en de eigen stellingname meer en meer de overhand kreeg, is het abstraheren van vormen, landschappen en kleurpatronen een steeds terugkerend fenomeen in de expressieve uiting. Omstreeks 1874 was er al een enorme doorbraak van het traditionele en het realisme in de kunst, door de impressionisten. Kunstenaars als Monet, Cézanne en Renoir gaven in hun werk de directe zintuiglijke indruk weer van wat werd waargenomen. Zij gebruikten daarvoor nieuwe schildertechnieken en pure verfkleuren. Cézanne begon al snel vormen te abstraheren en terug te brengen tot simpele geometrische vormen. De revolutie in vormgeving en expressie was in de laatste jaren van de 19e eeuw en heel de 20e eeuw (tot nu toe) zeer verschillend en soms zelfs gewelddadig van karakter.

Echte abstracte kunst begon met een schilderij van Kandinsky in 1910. De non-figuratieve kunst was daarmee geboren. Vele kunststromingen en individuele kunstenaars zouden het abstraheren als uitgangspunt nemen. Het zijn er teveel om hier op te noemen. Enkele abstract werkende kunstenaars zijn: Klee, Picasso, Braque, Mondriaan, Malevich, van Doesburg, Rietveld, Arp, Appel, Lucebert, Constant, Corneille, De Kooning, Stella, Struycken, Vasarély en Rothko. (Anderen mogen hier niet te kort worden gedaan; een keuze is noodzakelijk.)

Van groot belang voor de abstracte kunst waren de werken en publicaties van Kandinsky rond 1912. Zijn boekje 'Spiritualiteit en abstractie in de kunst', geeft een goed beeld van die beginperiode en zijn filosofie. Interessant daarbij is zijn steeds teruggrijpen naar de grote denker Goethe. Juist in de abstracte kunst moet het uiteindelijke werkstuk 'iets te zeggen' hebben. Het moet zichzelf emanciperen van normen en tradities. De geometrie mag hierbij vaak het uitgangspunt zijn maar er is zeker ook een noodzaak grenzen te overschrijden en tot een vorm van abstractie te komen die relaties aangaat met diepere fantasieën.

De innerlijke noodzaak van de kunstenaar dwingt hem ertoe zijn eigen weg te gaan. Objectieve criteria zijn hierbij niet meer mogelijk. Kunst kan zelfs uitstijgen boven de natuur en het begrijpbare. Misschien vinden ware kunstzinnige gevoelens hun oorsprong in de kosmos?

Abstracte kunst is vaak controversieel en roept bij veel mensen gevoelens op van onzekerheid. De sfeer van geheimzinnigheid en het voor velen onbekend zijn met de materie draagt hiertoe ongetwijfeld bij. In de bloemsierkunst speelt de abstractie pas een rol sinds begin van de jaren '80 of mogelijk iets eerder. Sindsdien is er een snelle ontwikkeling geweest.

Experimentele bloemsierkunstenaars zijn er waarschijnlijk altijd al geweest en zij zullen ongetwijfeld al vroeg in aansluiting met de beeldende kunst tot een vorm van abstracte bloemsierkunst zijn gekomen. Veel is hier niet van bekend.

Vandaag de dag is dat heel anders en wordt door meerdere bloemsierkunstenaars de weg naar abstractie gezocht.

Geometrische vormen en begrippen zoals: ritme, structuur, groepering, contrast, stapeling en dergelijke, vormen vaak goede uitgangspunten voor een abstracte compositie. Er moet natuurlijk nog wel veel met deze basisgegevens worden gedaan.

De ontwikkeling van de persoonlijke creativiteit is hier natuurlijk zeer belangrijk. Kennis van begrippen en technieken is bij het zoeken naar abstractie natuurlijk onmisbaar.

Enkele begrippen toegelicht

Abstract: niet als vorm voorstelbaar, het tegenovergestelde van concreet. Abstract wordt opgevat als: onstoffelijk, ontastbaar, vaag en niet realistisch. bijv. een schilderij bestaande uit kleurvlakken zonder herkenning van dingen, dieren, mensen, planten.

Abstraheren: het ontdoen van het bepalende, het toevallige, het concrete.

Concreet: voorstelbaar als vorm, aan een vorm of aan een voorwerp gebonden, bijvoorbeeld geometrische figuren.

Figuratief: herkenbaar door het met beelden werken. Het is versierend of ornamentief. Het is realistisch en naar de natuur gemaakt, dus herkenbaar als plant, mens, dier en dergelijke.

Abstracte bloemsierkunst

Hierbij vereenvoudigen wij de basisvormen tot simpele geometrische vormen of elementen. Een van de mogelijkheden tot abstractie in de bloemsierkunst is het schematisch toepassen van de geometrische vormen als pure vorm zoals: de bol, de kubus, de kegel, de cilinder en dergelijke.

Een andere mogelijkheid is aanknopingspunten vinden in allerlei vormelementen zoals: ritme, beweging, lijn, structuur en stapelen. Door te experimenteren ontdekt u bijna vanzelf vele boeiende mogelijkheden.

Abstract bloemwerk zal, hoe abstract ook, altijd iets natuurlijks, iets figuratiefs, behouden omdat wij nu eenmaal met plantaardig materiaal werken.

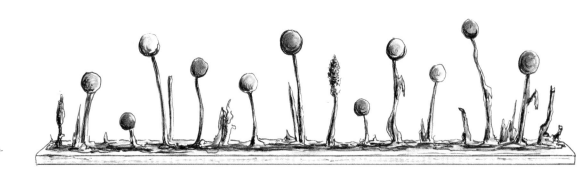

Maak eens een lange compositie van stammetjes en gekleurde vormpjes.

ABSTRACT-PARALLEL

Door een strakke vormgeving wordt een ritmische parallelschikking al heel snel abstract van karakter.

Hoog en laag, alsmede terugkerende ritmes bepalen het resultaat. Als wij deze schikking analyseren dan vinden wij ondermeer de volgende elementen:

ritme, lijn, contrast, open ruimten, contrastvormen, kleurcontrasten, diagonalen, verticalen, parallellen en groepering. De twee Mobach-bakken zijn speciaal gekozen en spelen in dit arrangement een belangrijke rol. Als basis is Oasis gebruikt.

Verwerkt zijn o.a.:

Ornithogalum saundersiae
Ornithogalum thyrsoides
Tillandsia
Arum italicum
Papaver
Typha
Leucobryum glaucum

KLEURRIJK EN ABSTRACT CONTRAST

Het idee voor deze schikking kwam bij het vinden van het fel gekleurde folie. De combinatie van harde kleuren in felle contrasten tussen blauw, oranje en wit geven een opvallend eigentijds effect. De door Misha Ignis gemaakte glasvaas sluit hier mooi op aan. Het wit van de lelies neutraliseert de felle kleuren enigszins en ze passen qua vorm goed in het geheel. De schikking is gemaakt op een loodprikker die op een rubbermatje staat om het glas niet te beschadigen.

Glas geeft, dat is duidelijk, bloemwerk vaak een heel apart effect.

Verwerkt zijn o.a.:
Lilium longiflorum
Philodendron
Hydrangea macrophylla
Restio sp.

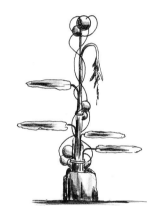

Abstracte sterk lineaire vormgeving met exotisch materiaal.

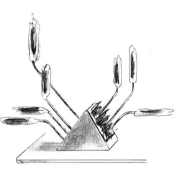

Abstract en ruimtelijk geordend lijnenspel.

SPANNING EN BEWEGING

Binden en spannen van materiaal leidt onvermijdelijk tot een andere vorm van bloemsierkunst. Het effect van deze technieken is altijd opvallend. Het is bij dit arrangement alsof elk moment de bloembundels terug zullen veren. Als ondergrond dient een eigengemaakte houten vaas die nat-in-nat is geverfd. In de vaas zit Oasis en daaroverheen is een flink stuk gaas bevestigd dat eerst in verlopende kleuren is gespoten.
Decoratief zijn vooral ook de sate stokjes met aan de uiteinden bloembolletjes van *Craspedia*.

Verwerkt zijn o.a.:
Leucospermun cuneiforme
Zantedeschia elliottiana
Craspedia globosa
Amaranthus hypochondriacus 'Pygmy Viridis'
Aristolochia macrophylla
Calathea lancifolia
Hedera
Leucobryum glaucum

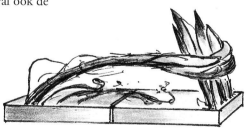

Twee bakken aaneengesloten en blad in een innige omhelzing.

Abstracte compositie met een sterk vormcontrast en richting.

Speelse schikking met bindsels en kruisende lijnen.

DE GROEP VAN VIER

Dit opvallende arrangement is vooral gebaseerd op contrasten tussen de vorm en het materiaal. De ondergrond is een eigengemaakte metalen bak die gevuld is met Oasis. Hierin is een stuk stevig gaas geplaatst, van boven gebogen. Door dit gaas is beregras gevlochten. In het onderste deel is een decoratieve ritmische schikking van blad en vlierbessen gemaakt. Het middendeel tenslotte is weer wat luchtiger en maakt aldus de overgang naar de vier overheersende *Anthurium's*. Eigenwijs staan de vier erboven, elk hun eigen richting zoekend.

Verwerkt zijn o.a.:
Anthurium andreanum
Rudbeckia nitida
Crocosmia
Sambucus nigra
Prunus laurocerasus

Gaas dient hier als basis om een eroverheen vloeiende schikking te maken.

EXPERIMENT MET ANTHURIUM

Anthurium vraagt een geheel eigen benadering als we deze exotische bloeiwijze modern willen schikken. Door de karakteristieke vorm zijn ze bij uitstek bruikbaar in een eigentijdse schikking. In dit arrangement spelen de witte mitsumatatakken, die plaatselijk met primaire kleuren, rood, geel en blauw, zijn geverfd, een voorname rol. Zij vragen aandacht en spelen nauw samen met de felgekleurde *Anthurium's* en de zwarte Mobach-bak.

De takken zijn met kleine bindsels bijeengebonden en op enkele plaatsen ook aan de *Anthurium's* gebonden. Dit om het geheel op zijn plaats te houden.
In de bak is Oasis geplaatst met een strookje gaas erover voor steun aan de lange stelen.

Verwerkt zijn o.a.:
Anthurium andreanum
Mitsumata
Leucobryum glaucum

Abstracte compositie vanuit een geometrische vorm van blad en lijnen.

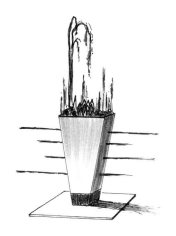

Abstracte vaas met een opvallende schikvorm.

Experimenteren

Het moeilijkste, maar ook het leukste, van de bloemsierkunst is misschien wel het experimenteren. Dit is het trachten om door uitproberen van nieuwe werkwijzen en/of technieken tot een geheel persoonlijke originele manier van bloemschikken te komen.

Soms leidt het individuele ge-experimenteer tot navolging en ontstaat er een nieuwe trend en mogelijk zelfs een geheel nieuwe bloemschikstijl.

Nu gaat dit boek in grote lijnen, door alle hoofdstukjes heen, over het zoeken naar een eigentijdse persoonlijke visie op bloemsierkunst. Vele van de in dit boek geplaatste tekeningen en foto's zouden dan ook bij andere hoofdstukjes goed bruikbaar zijn.

Veel van het getoonde bloemwerk in dit boek is eigentijds en in meerdere of mindere mate ook modern te noemen. Is het niet zo dat wat wij vandaag experimenteren, bedenken en wat misschien wel als het meest vooruitstrevende moderne bloemwerk wordt beschouwd, morgen misschien al weer is achterhaald.

Het begrip modern is dus heel subjectief en experimenteren is vooral een innerlijke noodzaak van de individuele bloemschikker om verder te komen.

De wortels van het experiment liggen zowel in het verleden als in de toekomst. Vaak zijn experimenten creatieve improvisaties van wat het maatschappijbeeld ons aandraagt.

Invloeden uit de beeldende kunst, de mode, de architectuur, het geloof, het wereldnieuws, oorlog, agressie, de dreiging van een milieuramp en dergelijke kunnen ons aanzetten tot het experiment. Vaak ook zet een bloemsierkunstenaar zich hiermee af tegen de gezapige traditie van het commerciële bloemwerk.

Hoe vaak ontbreekt in het gewone werk van alle dag niet de uitdaging, de spanning, ja zelfs de liefde voor het bloemschikvak. Je ziet soms al aan het gemaakte bloemwerk dat het gevoelloos is gemaakt, zonder nadenken als ware het een eindeloze herhaling.

Jammer is dat velen zich vaak negatief uitlaten over experimenteel bloemwerk. Dit getuigt van onbegrip en onbekwaamheid bij de kritikasters, op zijn minst van gebrek aan durf en eigen creativiteit. In een paar seconden oordeelt men over een moeizaam tot stand gekomen werkstuk...

Experimenteel bloemwerk is, in traditionele zin, zeker niet altijd mooi. Dit werk heeft vaak andere kwaliteiten en vraagt een eigen benaderingswijze.

Experimenterend schikken is een groeiproces en zal uiteindelijk de totale bloemsierkunst grondig veranderen. Op de terreinen van de vormgeving en het kleurgebruik is nog veel dat het innerlijk en de ziel van de experimenteel bloemschikkende mens kan beroeren.

Het is de taak van elke serieuze bloemschikker zich de technieken en de vormentaal eigen te maken en deze zo goed mogelijk te leren beheersen. Uit het verenigen van de bloemsierkunst met anderen kunstvormen zal in de toekomst ongetwijfeld een nieuwe monumentale bloemsierkunst worden geboren.

Het huidige experimenteren is hierin een onmisbare schakel.

KLEIN MAAR FIJN

Ook in een kleine schikking kunnen wij heel goed experimenteren. Het betekent dat wij zoeken naar een andere manier, een andere schikwijze, naar bepaalde effecten. Hier is uitgegaan van een mooie glasvaas van Misha Ignis.

In het nauwe halsje zijn de materialen ingeklemd. Het 'andere' is verder vooral gelegen in het in de *Salix*-takjes ophangen van kleine strookjes echte zijde.

Verwerkt zijn o.a.:
Celosia cristata
Salix matsudana 'Tortuosa'
Philodendron
Pachisandra terminalis

Spansels binnen de bak teruggevoerd leiden tot een abstract samenspel.

Creatief met ingespannen houtjes, kubari's.

WAAIERVORM

De waaiervorm is heel interessant als uitgangspunt voor een creatieve compositie. Bij deze schikking zijn drie bamboestengels genomen die de boogvorm dragen. De boog is van bamboe waaraan een paar steekbuisjes zijn bevestigd om de levende materialen van water te kunnen voorzien.

Het principe is eenvoudig omdat enkel de waaiervorm hoeft te worden geschikt. Doe dit niet te stijf, hou het speels.
De vorm van de ondergrond is belangrijk; hier versterkt deze de waaiervorm.

Verwerkt zijn o.a.:
Zantedeschia aethiopica

Lilium longiflorum
Ornithogalum saundersiae
Ixia
Astilbe
Bambusa
Prunus laurocerasus
Asparagus setaceus
pauwveren
decoratieve materialen
aluminium bak

FONTEIN

Verschillende thema's zijn toepasbaar op deze elegante schikking. Dit geldt overigens voor de meeste schikkingen. Spuiten of fontein is hier misschien de beste aanduiding. Uitgangspunt vormde de eigengemaakte houten bak van waaruit de drie bundels oprijzen om in één punt samen te komen. Door een bindsel worden de materialen op decoratieve wijze bijeengehouden. Het *Anthurium*-blad geeft een mooi contrast en geeft de scheiding aan tussen boven en onder. De bundels kunnen los in de bak staan of u zet ze op loodprikkers.

Verwerkt zijn o.a.:
Gerbera jamesonii
Cortaderia selloana
Anthurium

DECORATIEF EXPERIMENT

Dit arrangement is opgebouwd uit twee hoofdlijnen, de verticale en de horizontale. De bedoeling is *Anthurium* op een alternatieve manier zo te verwerken dat een spannend geheel ontstaat. Hiertoe is in de groene vaas een Oasis-cilinder geplaatst die met gaas is omkleed. Hierna zijn de blaadjes en het mos ertegenaan bevestigd. Vervolgens is het horizontale lijnenspel geplaatst en ook de conifeer in de top van de schikking. De *Anthurium's* zijn stevig in de cilindervorm gestoken. Let erop dat u zo'n schikking altijd van bovenaf op de Oasis water geeft. Met wat vlierbessen en *Amaranthus* is tenslotte de onderste rand decoratief afgewerkt.

Verwerkt zijn o.a.:
Anthurium andreanum
Restio sp.
Amaranthus caudatus
Elaeagnus x ebbingei
Eryngium planum
Chamaecyparis pisifera 'Filifera'
Sambucus nigra
Leucobryum glaucum
Aspidistra elatior
horregaas
aluminiumdraad
koraal
Thailand-ceramiek

Een trend van de jaren '90 wordt ongetwijfeld ook het perfect georganiseerde, gegroepeerde en lineaire bloemwerk.

Cilindervormige schikking met sterke structuren en een speels effect van afhangende takken.

Hangende objecten worden opvallender naarmate zij meer karakter bezitten.

DYNAMIEK EN SPANNING

Dit experimentele arrangement is vol met dynamische spanning. Het is bij uitstek geschikt als showstuk. De ondergrond is een organische vorm bestaande uit diverse materialen zoals; purschuim, Oasis-Sec, gips, mos, vlas, wortels e.d. De bak is van metaal.

Verwerkt zijn o.a.:
Anthurium andreanum
Gloriosa virescens 'Rothschildiana'
Aspidistra elatior
Molucella laevis
Genista lydia
Restio sp.
Bergenia cordifolia
Chamaecyparis lawsoniana
struisvogelveren
Dekofaser
lemoenen

LINEAIR-DECORATIEF

Principes uit de schikvormen; lineair, parallel en decoratief stoeien samen in dit alternatieve arrangement. Vanuit een centraal punt gaan de lijnen naar buiten in een divergerende (uitwaaierende) vorm. Hierdoor blijft wel het lineaire maar verdwijnt het zuivere parallelle. Het decoratieve element is tweeledig herkenbaar. Ten eerste in de totale vormgeving en ten tweede in het doorgroeide zwevende scherm van iriseefolie. Als basis is Oasis gebruikt dat met kussentjesmos is afgedekt.

Verwerkt zijn o.a.:
Nerine crispa
Allium sphaerocephalon
Leucobryum glaucum
Ravelli-ceramiek

Een plantaardige stoel.

Bijzondere compositie met een decoratieve kern en lijnen als contrast.

Samenspraak tussen twee vaasschikkingen die toch een geheel zijn.

Decoratieve symmetrische waaiervorm.

Asymmetrische waaiervorm.

Plantaardige objecten

Florale of plantaardige objecten of zo u wilt groeivormen - het zijn benamingen voor een vorm van non-conformistische experimentele bloemsierkunst die zeer sterk afwijkt van het gewone bloemstukje. Vóór alles wenst de bloemsierkunstenaar die zich hiermee bezig houdt, absolute creatieve vrijheid. Zonder vrij te zijn van elke vorm van traditie, bekende technieken, houdbaarheidseisen, vormgevings- en kleurprincipes, is het niet mogelijk tot een florale bloemsierkunst te komen zoals hier bedoeld.

Verklaring van enkele termen is misschien nuttig voor een beter begrip.
- Floraal: op bloemen (plantedelen) betrekking hebbend.
- Floral object; een compositie van plantaardige materialen, vaak ook in combinatie met niet-plantaardig materiaal zoals: steen, metaal e.d.; soms ook zonder bloemen; het behoort tot de avant-gardistische bloemsierkunst; is rond de jaren '70 ontstaan.
- Floral ornament: een plantaardig of bloemenornament.
- Florale Gestaltung: florale vormgeving.
- Object: 1 elk ding of voorwerp dat wij zien; 2 kunstzinnig gezien is het een driedimensionaal kunstvoorwerp of zeer bijzonder arrangement.
- Objectkunst: een stroming in de kunst vanaf ca. 1900, waarbij men alledaagse dingen verwerkt; bijvoorbeeld collages, assemblages, materiekunst, objet-trouvé en ready-mades
- Objet-trouvé: een afgedankt of vaak ook gevonden voorwerp dat tot kunst wordt verheven.

Florale composities kunnen worden vervaardigd van uitsluitend plantaardig materiaal, maar ook in combinatie met materialen zoals: steen, beton, metaal, kunststof en dergelijke. Het gaat er vooral om tot geheel eigen bedenksels te komen, waarbij de beeldende werking centraal staat.

Heel sterk is de motivatie die opgedaan wordt vanuit een diep contact met de natuur zelf. Het is echter beslist niet zo dat er altijd bloemen moeten worden verwerkt. Een gevonden plantaardig deel kan heel goed als objet trouvé dienen.

Zoals een beeldend kunstenaar een sculptuur laat ontstaan uit bijvoorbeeld steen, zo laat de florale bloemsierkunstenaar een plantaardige 'natuurlijke' sculptuur ontstaan. Er wordt zowel gestreefd naar de optimale harmonie als naar het chaotische. Schoonheid en evenwicht mag, maar is niet perse het uitgangspunt.

Het uiteindelijke werkstuk zal veel eerder een zeer persoonlijke harmonie met de maker aangaan dan dat dit naar buiten toe uitstraalt. Het zoeken naar de oplossing van een gesteld probleem betekent soms voor de maker het doormaken van een pijnlijk proces.

Vaak zien wij dat plantaardige objecten gebaseerd zijn op pure elementaire vormgevingsbeginselen zoals: ritme, structuur, stapelen, beweging. Wel worden deze dan in een geheel nieuwe context geplaatst.

De ontwikkeling van plantaardige objecten is voor de evolutie en ontwikkeling van de bloemsierkunst van grote waarde.

CONFRONTATIE

Het hangt er maar vanaf wat voor uitwerking u zelf wenselijk acht bij de vervaardiging van een plantaardig object. In dit object is gezocht naar een wat eigenaardige confrontatie van een klassieke ronde bloementoef met een wild cirkelvormig windsel van ranken, plasticfolie, mos, pitriet en elektriciteitsdraad.

Het totaalbeeld is en blijft cilindervormig maar roept toch een vraag op. Moet er niet juist in de top een andere bloemenoplossing zijn? Bijvoorbeeld een net er bovenuit stekende bedekking met alleen maar blad; of met Lilium longiflorum; of een bedekking met mos; of gewoon met zwart vervormd plastic? Het beste is dit zelf uit te proberen. U zult zien dat er veel interessants mogelijk is en dat er vele creatieve oplossingen denkbaar zijn. Technisch is dit arrangement gerealiseerd door in de pot een plastic pijp te plaatsen.

Deze is met stukken piepschuim vastgezet. Bovenin is een kleine emmer bevestigd voor de Oasis.

Verwerkt zijn o.a.:
Rosa
Gypsophila paniculata
Aristolochia macrophylla
Chamaecyparis obtusa 'Nana Gracilis'
Ampelopsis brevipedunculata
Mobach-ceramiek

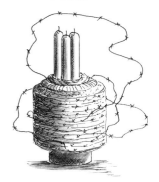

Decoratief abstract bindsel van plantaardig materiaal en prikkeldraad, bruikbaar voor een symbolische schikking.

UIT DE BOL

Bollen zijn eenvoudig van vorm, maar ze zijn toch heel interessant. Het vreemde is dat de ronde alzijdige verschijning op zich niet zo uitdagend is. Het gaat er veel meer om wat je er mee kunt doen door vervorming, aantasting en het plaatsen in een speciale contrasterende omgeving. In deze compositie is het uitgangspunt dat de bol is vergroeid met de omliggende vormelementen, de grillige houtstronk en de mossen. De bol is van tempex en is met purschuim bevestigd. Binnenin de holle bol is Oasis gedaan waardoor het schikpatroon daar kan worden voortgezet.
Het eindresultaat is een vergroeide vorm die het midden houdt tussen vegetatief en decoratief.

Verwerkt zijn o.a.:
Elaeagnus x ebbingei
Lonicera periclymenum (kamperfoelie)
Rudbeckia nitida
Spiraea arguta
Chamaecyparis pisifera 'Filifera'
Sambucus nigra
Hydrangea macrophylla
Leucobryum glaucum

Parallellepipedum! of maak eens een vrije interpretatie op 'gekke vogel'.

PARASOLSTRUIK

Heggetjes en vlechtsels zijn boei-ende verschijnselen. Voeg daar-bij het contrast van de overhuiving door enkele grote bladsoorten en het ingrediënt voor iets bijzonders is klaar. De uitwerking vergt overigens wel wat tijd en geduld.

Er is eerst een houten bak ge-maakt die van binnen is bedekt met polyester. Dit is een uitste-kende methode voor het water-dicht maken en voor versterking van het dunne hout.

In de bak is een vierkante schaal met Oasis en gaas geplaatst. Vervolgens zijn *Taxus*-takken en *Corylus* ingestoken, die het geraamte van de compositie vor-men. Hierna is het zaak de ove-rige materialen naar eigen idee op de lege plaatsen neer te zet-ten en er door te vlechten. Koperdraad vervult een extra functie welke vooral decoratief is, maar ook dient voor het samenbinden van materiaal. Enkele bloemen zijn in buisjes met water los tussen de takken gezet. Dit is ook gedaan met het grote *Anthurium*-blad, zij het dat deze nog extra aan Taxus-takken zijn bevestigd.

Verwerkt zijn o.a.:

Taxus baccata
Anthurium
Corylus avellana 'Contorta'
Aristolochia macrophylla
Ligustrum ovalifolium
Rudbeckia nitida
Hedera
Chamaecyparis lawsoniana
Cham. pisifera 'Plumosa'
Gloriosa virescens 'Rothschildiana'
Zantedeschia elliottiana
grind

HEG VAN DE WEG

Een van de meest interessante beplantingen die je soms langs wegen vindt zijn de hagen. Deze krijgen na jaren van snoei-werk vaak een prachtige struc-tuur en vorm.

Voor mij was het de reden dit heggetje samen te stellen. Het bestaat uit takken van *Fagus*, de beuk die vaak voor hagen wordt gebruikt. Verder zijn diverse materialen verwerkt om een wat spannender geheel te krijgen.

De schikking heeft geen water nodig en heeft ook niet per se een ondergrond nodig. De vrije plaatsing versterkt het bijzondere effect.

Verwerkt zijn o.a:
Fagus sylvatica
Ligustrum ovalifolium
Sedum spectabile
Rumex (zuring)

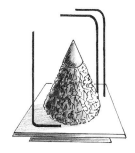

Kegelvorm van plantaardig materiaal in con-trast met metaal en kleurig Perspex.

Overhuiven van takken en bloesem is een al-ternatieve vormgeving met spannende effecten.

TWEE WERELDEN

Dit object is opgebouwd uit twee elementen; de warrige stapeling van bijeengebonden en dooreengestoken takken en in contrast hiermee de decoratieve bolvorm met vleugels van conifeer. Deze compositie zou ook tot twee aparte arrangementen kunnen leiden. U kunt bijvoorbeeld de stapeling van takken als eindresultaat zien. Als u het bovenste deel met de bol apart op een onderstel zou plaatsen dan heeft u eveneens een totaal andere compositie van dit deel van de schikking. Zo is er nog al wat mogelijk en is het erg spannend om iets leuks te creëren en direct weer te gaan zoeken naar nieuwe mogelijkheden.

Wat de techniek betreft is het onderste deel wel duidelijk. Voor de bol is een flink stuk Oasis gebruikt dat met kippegaas is omwikkeld.

Verwerkt zijn o.a.:
Salix matsudana 'Tortuosa'
Chamaecyparis obtusa 'Nana Gracilis'
Taxus baccata
Juniperus squamata 'Meyers'
Leucobryum glaucum
Spaghnum
bevloeiingsmat
glasbollen
Mobach-ceramiek

Experimentele compositie met een sterk decoratief effect.

Met een opengezaagde pijp is heel creatief te werken.

Monumentale composities

Monumentale bloemsierkunst omvat alle vormen van bloemwerk dat een weidse uitstraling heeft, indrukwekkend van karakter is en een voorname indruk maakt. Monumentaal bloemwerk kan groot van formaat zijn, maar kan ook heel klein zijn. Het gaat er bij deze schikvorm niet zozeer om het formaat, maar veel meer om de kracht die het werk uitstraalt.

Klassieke vormen van monumentale bloemsierkunst zijn bijvoorbeeld:

guirlandes, festoenen, de lauwerkrans, de eenzijdige klassieke driehoekschikking zoals deze vaak op oude bloemenstillevens zijn te bewonderen (Flemish design).

Moderne vormen van monumentaal bloemwerk zijn er velerlei. Het eigentijdse moderne, abstracte en experimentele karakter is hierbij soms overheersend aanwezig.

Er is geen simpele regel te geven hoe men tot monumentaal bloemwerk kan komen. Zeker is wel dat een grondige kennis van de stijlen, de technieken en de regels van de bloemsierkunst een onmisbaar uitgangspunt vormen. Daarbij komt enige kennis van vormgeving in het algemeen en alles wat met de beeldende kunst, design, architectuur en interieur te maken heeft.

Kennis verhoogt de kans om met succes tot monumentaal bloemwerk te komen. Gewoon goed rondom ons heen kijken is natuurlijk al een goed begin.

Enkele suggesties zijn:
- het scheppen van een plastisch-organische vormgeving;
- ruimtelijke, natuurlijke vormgeving
- het zoeken naar metamorfosen; vormveranderingen
- het geometrische laten opgaan in het organische of andersom
- het vanuit de kleur beleefde tot vormgeving omzetten
- het organisch vormgeven vanuit natuurlijke groeiwijzen
- het transformeren van principes uit andere kunst disciplines tot bloemsierkunstige vormen
- het zoeken naar een zuivere harmonie tussen materialen, vormen en kleuren
- het zoeken naar grootse vormen en composities

Monumentale vorm uitgaande van eenvoudige principes zoals: etage, cirkel, hangen, ruimte, ritme e.d.

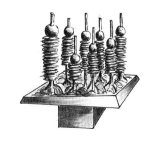

Aanrijgen van plantaardig materiaal op boomtakken in een abstracte ondergrond.

OBJECT VAN HOUT EN KOPER

De kracht van deze compositie is de eenvoud in materiaal en vorm. Er is slechts gebruik gemaakt van hout, koperplaat, rode verf en groen.

Mede door het formaat, het object is 275 cm. hoog, wordt het effect van monumentaliteit extra benadrukt. Ook de vormgeving en de positie van de verticale delen dragen hiertoe bij.

De planken zijn met bouten aan elkaar bevestigd en ertussen is piepschuim gedaan. Hierdoor kon het groen gemakkelijk worden aangebracht.

Verwerkt zijn o.a.:

Abies procera 'Glauca'
Pinus
Indian Moss (sheetmoss)

MEMPHIS INSPIRATIE

De beweging Memphis die zo een diepe invloed heeft gehad op de kunst en het design in de jaren '80 ligt voor een deel ook ten grondslag aan dit arrangement.

De ondergrond van hout is naar Memphis-ideeën gemaakt. De gedachte van Memphis dat in vormgeving en kleur heel veel mogelijk moet zijn heeft geleid tot de overweldigende toef die in een eigentijdse cascadestijl is opgemaakt.

De vrijheid komt ook tot uiting in het vele gebruik van niet plantaardige materialen zoals; veren, kunstwol etcetera. Voor de techniek is het nuttig te weten dat op de zuil slechts een flinke schaal met Oasis en gaas is geplaatst.

Verwerkt zijn o.a.:

Dianthus caryophyllus
Lilium
Salix x sepulcralis 'Tristis'
Cytisus praecox
Achillea filipendulina
Chamaecyparis lawsoniana
Heliconia
Cotoneaster
Cymbidium
Gaultheria salal
Aspidistra elatior
Asparagus setaceus
Hedera
Anthurium
Polystichum (zwaardvaren)
Ruscus hypophyllum
Leucospermum
Malus
Leucadendron
Berzelia
Hedera
koperdraad
gaasverband
Dekofaser
kalebassen

ETAGETOREN

Een interessante schikwijze is die waarbij de materialen in lagen boven elkaar worden gestapeld. Dit kan gebeuren in strakke dicht aaneengesloten materiaalgroepen, maar kan ook zoals hier met ruime afstand gebeuren. Het voordeel van deze laatste methode is dat met minder materiaal snel een groots effect kan worden bereikt. Deze schikking is opgebouwd vanaf een ondergrond welke is bedekt met blad. De kern van de ondergrond is van hout met purschuim. Bovenop is een schaal geplaatst met Oasis. Van hieruit is het niet moeilijk om in lagen geschikt een monumentaal effect te bereiken. Voldoende con-trast tussen de kleuren en het materiaal is wel een voorwaarde om het onderscheid duidelijk te laten zijn.

Verwerkt zijn o.a.:
Prunus laurocerasus
Heracleum spondilium
Thypha
Dendranthema 'Moneymaker' *(Chrysanthemum)*
Dendranthema 'Remember'
Dendranthema 'Flamengo'
Dendranthema 'Harlekijn'
Nephrolepis exaltata
Hydrangea
Eryngium
Bergenia cordifolia
Restio sp.
Amaranthus hypochondriacus

DECORATIEF OBJECT

De basisvorm van dit arrangement is eenvoudig omdat het de biedermeiervorm betreft. Het aparte zit in de decoratieve verwerking van de ondergrond, de aan koperdraad hangende lemoenen en het blad als overhuivende top.
De ondergrond is gemaakt van hout en purschuim, onderaan bedekt met *Hedera*-blad, vlastouw en mos. Op de zuilvorm staat een schaal met Oasis. Opvallend is het blad met decoratieve toepassing van Dekofaser en de gekleurde Oasis-Sec-bol. Het contrasterende kleurgebruik versterkt en verlevendigd de totale compositie.

Verwerkt zijn o.a.:
Leucobryum glaucum
Asparagus umbellatus

Solidago x luteus
Ranunculus
Dianthus caryophyllus
Limonium sinuatum
Dendranthema (Chrysanthemum)
Alstroemeria
Chamaecyparis lawsoniana
Arachniodes adiantiformis
Anthurium
Hedera
Freesia
Achillea
Calathea

Monumentale vorm door bundeling en lange afhangende ranken met bolletjes.

TEMPEL

Heel afwijkend van het traditionele is deze compositie die bestaat uit twee delen. De kern is het centrale arrangement dat geplaatst is in een monumentale koepel. Het krijgt hierdoor iets magisch en symbolisch.

Het hart van de compositie is opgebouwd uit een gestapelde glaspyramide met daar bovenop een decoratieve en contrastrijke bolvorm, voorstellend het weerspiegelend universum.

Bovenop de koepel is een guirlande gemaakt van groen en witte bloemen. Deze guirlande is gemaakt van stro wat het onderste deel betreft en van Oasis en Spaghnum in het bovenste deel waar de bloemen zijn ingestoken (zie voor de techniek van guirlandes maken mijn boek 'Bloemschikken voor de winterse feestdagen').

Verwerkt zijn o.a.:
Chamaecyparis obtusa 'Nana Gracilis'
Juniperus squamata 'Meyers'
Taxus baccata
Pinus
Nobilus glauca
Ilex
Skimmia japonica
Protea
Euphorbia fulgens
Rosa 'Jack Frost'
Dianthus caryophyllus
Anthurium andreanum
Cattleya
Vaban-lint

Monumentaal object met een opvallende decoratieve toepassing van materiaal.

Alles mag

De bloemsierkunst kent vele stijlen die allen min of meer eigen regels hebben. Het gaat dan vooral om de vormgeving en de verhouding tussen de hoogte, de breedte en de diepte; tussen eenzijdigheid en alzijdigheid; tussen symmetrie en asymmetrie. Binnen de totaliteit van een stijlschikking zijn vrij duidelijke aanwijzingen te geven die tot bepaalde gewenste effecten kunnen leiden. Denk hierbij aan cirkels en spiralen bij de biedermeier- en kegelvormen. Het gegroepeerde verwerken van materialen binnen de klassieke driehoeksvormen en bij veel moderne schikkingen. Het neergaande effect van de watervalvorm (cascade). Bepaalde traditionele kleurencombinaties, blauw-geel-groen, blauw-roze-groen, purper-violet-paarsgroen.

Bloemschikregels zijn nuttig en soms zelfs belangrijk. Zij geven ons houvast en helpen snel een bepaalde stijl te leren maken. Zij geven ook duidelijkheid bij wedstrijden, bij examens en ook bij het bestellen van bloemwerk in een winkel.

Ook is kennis van stijlregels nodig indien wij met bloemwerk een gebouw of interieur zo willen versieren dat de stijl en sfeer daarvan met de bloemversiering overeenstemt.

Als wij dit zo bezien dan is de eerste gedachte die opkomt; niks mag ... alles moet ...

Toch is dat beslist niet zo. Er zijn heel veel mogelijkheden om ons juist niets van de geijkte regels aan te trekken. De moderne bouw- en interieurkunst, een tentoonstelling van avant-garde bloemsierkunst, de etalage van een winkel, de hal van een hotel of bedrijf, een bloemschikdemonstratie, een bloemschikkursus, onze eigen woning en dergelijke bieden ons volop kansen onszelf werkelijk alles te permitteren. Het komt dus vooral aan op durf, originaliteit en creativiteit; en dan ... gewoon doen!

Nu zal het bloemwerk dat uit ons gestoei ontstaat ongetwijfeld zowel bewondering als kritiek oproepen. Kritiek mag ons echter uitsluitend zo beïnvloeden dat wij er notitie van nemen (er misschien iets van leren) en vervolgens doorgaan met de uitdaging van: ... alles mag ... en de weg van ons eigen gevoel en onze eigen creativiteit verder volgen. Het weergeven van het innerlijk beleven in het bloemwerk is en blijft een grote uitdaging.

De bestaande bloemschiktechnieken zullen in de meeste gevallen wel toereikend zijn. Het kan echter nodig zijn gebruik te maken van nieuwe alternatieve technieken of deze zelf te bedenken.

Voor elke ware bloemschikker is vrijheid en ruimte een voorwaarde om zichzelf en de bloemsierkunst maximaal te kunnen ontplooien. Zorg er daarbij voor dat het werkstuk niet de overhand krijgt en uzelf wordt verdrukt door een neurotische dwang tot zelfexpressie. Bloemschikken is een fijne hobby en een fantastisch vak, het houdt ons jong en dynamisch.

EIGENTIJDS BAROKKE WEELDERIGHEID

Kenmerkend voor veel eigentijds bloemwerk rond 1990 is het gebruik van veel verschillend materiaal. In dit arrangement is dit overvloedig tot uiting gebracht. De schikking kent twee verschillende zijden waardoor het kijkgenot langer blijft.
Verwerkt is ook veel materiaal zoals: wol en glasbollen. Heel bewerkelijk is het schulpsgewijze bevestigen van het *Eucalyptus*blad.
De schikking heeft als ondergrond een Mobach-pot waarin een piepschuimplaat staat. Hierbovenop zit een omgekeerde halve piepschuimbol. Stokjes omwikkeld met wol ondersteunen het geheel, samen met dikke stengels van een klimplant.

Verwerkt zijn o.a.:
Rosa
bromelia
Asparagus setaceus
Liatris spicata
Eucalyptus globulus
Leucobryum glaucum
Aspidistra elatior
Viburnum opulus 'Roseum'
(sneeuwbal)
Pinus
Rhododendron

Hamburger of zo u wilt 'tussenklemmen' biedt leuke mogelijkheden.

SYMBOLIEK EN MYSTIEK

Door het combineren van materialen op een andere manier dan gebruikelijk kunnen verrassende effecten ontstaan.
De *Taxus*-takken zijn gevonden en zijn restant van wat eens een haag was. Deze haagvorm is weer, zij het op een eigen manier en vervlochten met koperdraad, in ere hersteld. Het dient nu als omgeving voor het exotische masker van kunstenares Marlene van der Loos. Rook voegt nog een extra dimensie toe en geeft het geheel een mystieke sfeer.

De ondergrond is een metalen bak waar aan twee zijden Oasis met gaas in is aangebracht.

Verwerkt zijn o.a.:
Taxus baccata
Leucobryum glaucum
koperdraad

Uit een organische vorm komt een decoratieve bladvorm en spuiten bolletjes.

OF ALLES MAG?

Alles mag in het eigentijdse moderne bloemschikken. Deze stelling biedt ons nagenoeg onbeperkte mogelijkheden om onze expressie de vrije loop te laten. Dit hoeft vanzelf niet direct te leiden tot extremiteiten maar het kan natuurlijk wel zijn dat dit gebeurt.

In dit kleine arrangementje heb ik die vrijheid genomen en op bamboestokken driehoekige vormpjes van gekleurd Perspex bevestigd. Dit als kleurcontrast in plaats van bloemen!
De schikking is gemaakt op een loodprikker en staat in een prachtige glasschaal van Misha Ignis.

Verwerkt zijn o.a.:
Bambusa
Perspex
steentjes
plastic

Experimenteer eens met het door een vorm steken van de materialen.

GROEISEL

Het meest opvallende aan dit arrangement is het contrast tussen het warrige onderste deel, waarin veel kleine materialen, met het vrij rustige bovendeel met juist maar één soort grote vormen.
De schikking is gemaakt in een Mobach-schaal met Oasis. Hierin is een doorvlochten schikking gemaakt. Oude stengels met de wortels naar boven gericht ondersteunen zwart koraal. Hier doorheen zijn de *Gerbera's* gestoken.

Verwerkt zijn o.a.:
Gerbera jamesonii
Amaranthus hypochondriacus 'Pygmy Torch'
Hedera
Leucobryum glaucum
Hydrangea
Craspedia globosa
Hypericum
spruitjesblad
koraal
koperdraad

Bundelen en doorgroeien.

SPANNING EN RELATIE

Uitbeelding van spanning, contrast en relatie is de bedoeling van deze compositie. Doelbewust is ook gekozen voor kleuren die in de westerse landen niet altijd voor harmonieus worden aanvaard. Opvallend is dat in oosterse landen het kleurgebruik vaak heel anders is dan in het westen. De aanduiding vloe-kende kleuren is dan ook een nogal subjectief begrip. Het is cultuur-, tijd- en modegebonden. Durf dus gerust zelf eens wat gewaagder combinaties te maken.

De ondergrond van dit arrangement is gemaakt van Oasis, gaas en plastic. Het witte eind is gemaakt met gipsverband.

Verwerkt zijn o.a.:

Limonium sinuatum
Leucobryum glaucum
Allium
Achillea

Vuilnisbakstapeling; het oude weggedaan, ruimte voor nieuwe ideeën.

Aanbevolen literatuur

Bloemsierkunst,
Aad van Uffelen, uitg. Zomer & Keuning 1985/1990
Creatieve Bloemsierideeën,
Aad van Uffelen, uitg. Zomer & Keuning 1987/1991
Bloemschikken voor de Winterse Feestdagen,
Aad van Uffelen, uitg. Terra 1988
Verklarend Woordenboek Bloemschikken,
Aad van Uffelen, uitg. Zomer & Keuning 1989
Creatief Bloemschikken met Anthurium,
Aad van Uffelen, uitg. Zomer & Keuning 1991
Decoratieve Bloemsierkunst,
Jan van Doesburg, uitg. Terra 1987
Vegetatieve Bloemsierkunst,
Jan van Doesburg, uitg. Terra 1989
Kleurrijk Bloemschikken,
E. de Lestrieux, uitg. Zomer & Keuning 1989
Kleur, Principe, theorie en toepassing,
Paul Zelanski & May Pat Fisher, Uitg. Gaade
KLeur,
Uitg. Zomer & Keuning
LOI, Leiden,
Cursus kleur,
Eric Melse.

Nawoord

Voor het verlenen van adviezen, suggesties en assistentie, bij het tot stand komen van dit boek; de fraaie vormgeving; de fotografen die topkwaliteit hebben geleverd; Bloemenbureau Holland te Leiden voor het beschikbaar stellen van de foto's op pagina's 36-56-74-79; Mobach pottenbakkers, Molca-kaarsen, Geerlings Zantedeschiakwekerij; Mischa Ignis glasblazer en alle anderen die iets bijgedragen hebben, wil ik hierbij hartelijk danken. Hun hulp, kennis en steun was onmisbaar.

Colofon

Vormgeving: Teo van Gerwen, Leende
Zetwerk en opmaak: Bults & de Jong voor druk, Nijverdal
Lithografie: De Vries, Eefde
Druk: Tesink B.V., Zutphen
Bindwerk: Spiegelenberg B.V., Zoetermeer
Tekeningen: Aad van Uffelen
Fotografie:
- Moot Gerretsen, Den Haag, foto's op pagina 36-56-74-79
- Aad van Uffelen, foto's op pagina 23-46-47
- Jan van der Loos, Maasland, overige foto's